# DES PARADIS
# PLEIN LA TÊTE

DU MÊME AUTEUR

*Les Jardiniers de la folie*, Éditions Odile Jacob, 1988.

ÉDOUARD ZARIFIAN

# DES PARADIS
# PLEIN LA TÊTE

EDITIONS
ODILE JACOB

Mes remerciements vont à Odile Jacob, pour son appui constant, à Christophe Guias, pour son amical soutien, et à Jean-Luc Fidel, pour ses conseils judicieux et son aide précieuse.

© ÉDITIONS ODILE JACOB, MARS 1994
15, RUE SOUFFLOT, 75005 PARIS
ISBN : 2-7381-0250-6

*Pour Caroline et pour Frank.*

# Préface

La psychiatrie est ce que la société en fait. Plus précisément, c'est l'idéologie dominante d'une époque qui est responsable des représentations que suscitent les troubles psychiques. Aujourd'hui, la médecine, la Science et leur alliée, la pharmacie ont annexé les débordements psychiques et les troubles des comportements. « La santé a remplacé le salut », disait Michel Foucault. S'en trouve-t-on mieux pour autant ? Tout est-il définitivement réglé et l'image de la psychiatrie en est-elle grandie ? On peut s'interroger.

Les écarts de l'homme par rapport à la norme sociale et culturelle, et sa souffrance psychique individuelle, sont inhérents à la fois aux sociétés qu'il constitue et à sa condition humaine. Les diagnostics médicaux, les explications neurobiologiques et les solutions pharmacologiques, aussi utiles soient-ils, ne sont qu'un aspect d'un ensemble complexe où le symptôme, le sens qu'il possède et le contexte qui l'entoure s'articulent de manière subtile et intemporelle.

Néanmoins, la société y trouvant son compte à de

multiples égards, on est passé progressivement du traitement des troubles psychiques – qu'il est impératif d'alléger – à la médicalisation systématique de la simple souffrance psychique existentielle. Or celle-ci, parce qu'elle est le propre de l'homme, mérite d'être respectée. Utilisant l'alibi de diagnostics artificiels, son gommage systématique par des moyens chimiques est un « génocide » de l'esprit humain. À la souffrance psychique comme réaction légitime aux aléas traumatisants de la vie doit au contraire répondre un ensemble de comportements humains issus des qualités fondamentales des individus qui en sont témoins : solidarité, compréhension, tolérance et amour.

Demain, « le meilleur des mondes » sera-t-il celui de l'anesthésie psychique et affective pour tous grâce à des moyens pharmacologiques ou au contraire celui des valeurs retrouvées qui résident encore en chacun de nous ?

Le choix est, peut-être, encore possible...

### PREMIÈRE PARTIE

# Les maladies mentales n'existent pas

La neurologie s'intéresse aux maladies du cerveau et du système nerveux pris dans son ensemble. La neurobiologie, quant à elle, étudie la structure et le fonctionnement du système nerveux depuis le plan macroscopique (ce qui est visible, comme l'anatomie) jusqu'à l'échelon moléculaire (ce qui concerne jusqu'à la structure la plus fondamentale d'un organisme vivant : le gène). Quels sont les liens qui unissent la psychiatrie et ces deux disciplines ? La psychiatrie – qui s'intéresse aux comportements humains jugés « anormaux » parce qu'ils engendrent de la souffrance pour le sujet ou sont dérangeants pour le milieu – est-elle liée à la neurologie et à la neurobiologie ? Ou bien est-elle d'une autre nature ? On retrouve ici le problème des rapports entre le cerveau et les comportements psychologiques.

La maladie somatique – celle qui concerne le corps – obéit à un modèle qu'on peut résumer de manière linéaire et élégante par la formule « signes, diagnostic, traitement » et dont l'efficacité et la pertinence sont admises par tous. Un être humain présente des symptômes, qu'ils soient cliniques (décelables par le médecin), biologiques, radiologiques ou électriques ; l'organisation de ces symptômes entre eux permet de formuler un diagnostic univoque qui définit une maladie, la seule envisageable. Un traitement est alors proposé qui, dans les meilleurs cas, agit sur la cause connue de la maladie. Son efficacité suppose que la recherche a pu élucider les mécanismes biologiques à l'origine de la maladie. C'est le cas de la fièvre typhoïde : un antibiotique détruit le germe responsable. Bien souvent, le schéma est moins limpide. Le traitement peut être palliatif (il se contente d'améliorer la situation comme dans le cas de l'ulcère gastro-duodénal) ou substitutif, en cas de carence d'une substance physiologique indispensable (comme dans le cas du diabète insulino-dépendant).

Les troubles dits « psychiques » entrent mal dans le cadre de ce modèle médical linéaire. Chacun d'entre eux, du plus banal (l'anxiété) au plus complexe (le monde des schizophrénies), s'exprime de manière multiforme. Les symptômes (crise d'angoisse, hallucination, humeur dépressive) renvoient à des mécanismes biologiques et peuvent être traités par des médicaments. Toutefois, le biologique n'est qu'un aspect d'une trilogie qui comprend aussi le psychologique et le social. En effet, tout symptôme a un sens qui n'a de valeur que pour un individu bien déterminé. Une crise d'angoisse n'est pas univoque. Elle est le reflet de la singularité même de l'individu qui en est affecté. Ce sens – propre à chaque patient – renvoie à ce que l'on nomme – faute de mieux – « l'appareil psychique ». C'est la (ou les) psychothérapie(s) – d'inspiration analytique – qui donne(nt) sens aux symptômes. De plus, l'être humain ne vit pas isolé de ses semblables. L'une des grandes difficultés de l'existence consiste précisément à « co »-exister. Les rapports inévitables avec ceux qui nous entourent forment la troisième dimension de l'espace dans lequel évolue tout être humain. Dès lors, la psychiatrie – comme les comportements humains normaux ou pathologiques – ne peut obéir au modèle médical strict.

Qui plus est, la « normalité » repose en médecine somatique sur des notions mathématiques bien définies, comme celle d'écart par rapport à la moyenne. En psychiatrie, il n'en est rien. La norme implique forcément des données culturelles, géographiques, temporelles, etc. Ce qui était « normal », en matière de rapports sociaux, d'habillement, etc., dans le Paris du XIXe siècle ne l'est plus dans celui d'aujourd'hui. Ce qui est « normal » aujourd'hui dans les échanges entre individus varie selon qu'on se trouve en Tasmanie, à Kyoto ou à Bécon-les-Bruyères ! La « norme » n'est que la convention d'un groupe social en un lieu donné, à un moment donné.

On peut donc très vite être taxé d'« anormal ». Votre vêtement, la couleur de vos cheveux, votre manière de vous exprimer ou... vos idées doivent s'inscrire « normalement » dans un contexte où on les juge adaptés. Dans un autre contexte vous passez pour « anormal », donc suspect de présenter un danger potentiel. Un pas de plus dans la différence et on vous juge fou ou délinquant. Comme le mot « fou » gêne un peu et renvoie à des définitions archaïques, comme la délinquance conduirait à des prisons qui sont saturées, la récupération par la médecine présente tous les avantages. On pose un diagnostic et on entre dans un circuit bien balisé qui saura évincer le sujet dérangeant et lui proposera une « réhabilitation » normative.

Le modèle médical « signes, diagnostic, traitement » n'est donc pas pertinent en psychiatrie. Celle-ci doit nécessairement procéder selon une triple démarche, chaque perspective supposant un domaine d'observation précis et renvoyant à un corpus théorique et à des applications thérapeutiques spécifiques. C'est ainsi que le symptôme clinique traditionnel (manifestations d'anxiété, de dépression, hallucinations, discordance de la pensée) relève de l'observation du fonctionnement cérébral et débouche sur l'usage de médicaments ayant un effet sur le cerveau. Se satisfaire de cette étape importante serait prendre l'arbre pour la forêt. Le sens du symptôme, propre à chaque individu, renvoie à l'observation du psychisme, laquelle repose sur la théorie psychanalytique et renvoie à certaines formes de psychothérapies. Enfin, l'homme vivant nécessairement en interaction avec son environnement social (couple, famille, voisins, amis, collègues), un troisième domaine d'observation s'avère nécessaire, celui des systèmes de communication qui unissent les êtres humains entre eux et que la psychosociologie nous a appris à analyser, cette approche débouchant sur les thérapies systémiques, les thérapies familiales ou les thérapies de couple.

Le terme peut paraître assez galvaudé ; toujours est-il que l'homme est bel et bien un être « bio-psycho-social ». Vouloir dissocier ces trois dimensions aboutirait à le caricaturer, à l'estropier ou à le détruire. Lorsqu'on est confronté aux positions diverses des théoriciens, et donc des thérapeutes en psychiatrie (neurobiologistes, psychanalystes, systématiciens), on peut, à juste titre, être déconcerté. *La psychiatrie existe-t-elle ?* Ou plutôt *qui fait, et comment fait-on, exister la psychiatrie ?* Les malades, certes. Mais les appeler ainsi, c'est déjà les enfermer ou plutôt, ne soyons pas trop sévères, les situer dans un cadre qui relève en fait du modèle médical. Mais ce n'est pas tout : la famille, l'entourage, la société ont aussi leurs définitions. « Moi, je vous le dis, Docteur, ce n'est qu'un paresseux... » Qui a tort et qui a raison ? Tout le monde bien sûr ! Autrement dit, la maladie mentale – et le malade – ne sont pas des « objets » définissables de manière univoque, comme il en va à peu près pour les maladies du corps. La manière de dire définit une série de perspectives ayant leurs logiques parfois exclusives ou contradictoires.

Si l'on se réfère à la triple dimension bio-psycho-sociale, guérir d'une souffrance psychique, c'est nécessairement voir disparaître ses symptômes (action pharmacologique des médicaments du cerveau), s'estimer guéri (travail personnel au cours d'une psychothérapie) et être reconnu guéri par les autres (harmonisation de la communication avec autrui). La seule disparition du symptôme n'est pas suffisante pour définir la guérison. Encore faut-il avoir cicatrisé la blessure narcissique qu'engendre toujours le symptôme et avoir reconstitué une image de soi de nouveau valorisante. Le dernier élément du triptyque consiste à ce que les autres aient, eux aussi, restauré dans leurs représentations une image non dévalorisée du sujet qui a exprimé des symptômes visibles par tous. Ce schéma vaut surtout pour les troubles les plus fréquents comme les symptômes anxieux ou dépressifs, mais il conserve sa pertinence pour les épisodes délirants. En reprenant concrètement ces trois étapes – qui sont, même dans les cas heureux, plus souvent successives que simultanées –, on peut décrire les situations suivantes.

Un être humain connaît un bouleversement de son existence parce que des symptômes envahissent sa vie quotidienne. Ralentissement de la pensée et des gestes, tristesse intense, perte de tout désir et de tout projet, perturbations physiques diverses, etc., forment un tableau clinique auquel le médecin donne le nom de dépression. Il prescrit sans doute un médicament antidépresseur et plus ou moins longtemps après tous les symptômes disparaissent... Le patient est-il pour autant « guéri » ? Sûrement pas. L'affirmer ce serait le conduire inéluctablement à une « rechute » ou à une « récidive », car ce serait aussi faire fi de tout ce qui n'est pas accessible à l'action du médicament. Pourquoi cet événement s'est-il produit ? Dans quel contexte matériel, relationnel et affectif est-il survenu ? Quel sens l'inconscient du sujet a-t-il mis dans ces symptômes et comment le malade vit-il cet événement ? Quelle image a-t-il de lui-même, et plus tard de ce qu'il est devenu ? Quel est le regard des autres sur lui et quelles sont les modifications induites sur l'environnement par cet épisode ? Il s'agit là seulement de quelques-unes des questions qu'il faut amener le patient à formuler et auxquelles il doit répondre sous peine de ne jamais connaître de « guérison » durable.

Le médicament psychotrope (ou médicament du cerveau) a souvent une puissante action symptomatique sur l'anxiété, la dépression ou les hallucinations. Se contenter pour le thérapeute de cette seule action, c'est à coup sûr entretenir les troubles malgré un éphémère succès apparent. C'est cultiver la souffrance psychique de sorte qu'elle repousse – plus forte – un peu plus tard. On connaît de ces situations, pérennisées par de tels comportements médicaux, qui durent toute l'existence. Le plus souvent, malade et médecin sont inconscients du processus qui se déroule et peuvent être très satisfaits l'un de l'autre. Le « bon » malade réagit bien au « bon » traitement médicamenteux du « bon » docteur, et les manifestations d'angoisse ou de dépression disparaissent en quelques semaines. Oui, mais qu'advient-il trois, six ou douze mois plus tard ? Le malade « malchanceux » retourne voir le médecin qui l'avait si efficacement soigné, car tous les troubles sont réapparus. Les mêmes causes produisant les mêmes effets, de nouveau, et pour une période variable, le patient est soulagé et le même scénario se reproduit encore et encore.

Pourtant, heureusement, certains médecins plus ouverts, plus instruits et surtout disposant de plus de temps permettent à leur patient d'entreprendre une véritable analyse de leur situation psychologique et contextuelle. L'événement pénible est mis en mots et en situation. Il prend alors un sens et les yeux du malade s'ouvrent sur ses rapports avec les autres, avec les événements, avec son passé et la manière de concevoir son avenir. L'épisode dépressif ou anxieux qui n'était qu'un « signal-symptôme » aura permis d'engranger un capital d'expérience qui aidera le sujet à être plus lucide sur lui-même et plus armé face aux difficultés de l'existence. Dans un pareil cas, le processus de guérison engage le patient dans sa globalité d'être humain et l'épreuve du temps en démontre la solidité. C'est bien autre chose que d'utiliser une « gomme » à effacer les symptômes gênants comme s'ils existaient indépendamment du sujet qui les exprime.

# Un diagnostic impossible

## *La tentation médicale*

À l'extérieur de la psychiatrie, on pourrait croire, fort de l'expérience du diagnostic médical pour les maladies du corps, que la recette est applicable sans difficulté. Il suffirait de savoir repérer un certain nombre de signes (les symptômes) pour déceler une maladie bien déterminée et parvenir à un diagnostic. Les signes peuvent être cliniques, c'est-à-dire décelables par le médecin en examinant le malade : ils sont dits fonctionnels comme la toux ou physiques comme un souffle cardiaque à l'auscultation ou un foie augmenté de volume à la palpation. Aujourd'hui, règne de la médecine technique, l'identification des signes cliniques est presque supplantée par la mise en évidence directe des causes ou des conséquences de la maladie grâce à des examens biologiques, électriques ou radiologiques. On dispose donc pour établir un diagnostic d'éléments objectifs et le plus souvent quantifiables. On peut établir une norme (la moyenne des valeurs recueillies dans une population) et interpréter les écarts par rapport à la moyenne : valeur du sucre dans le sang, de la pression artérielle, etc.

En psychiatrie, il en va tout autrement. Il n'existe aucun signe objectif clinique, biologique, électrique ou radiologique signant de manière indiscutable un diagnostic. Les anomalies qu'on peut observer ici ou là ne renvoient jamais à une maladie univoque à laquelle elles seraient liées. Ni les techniques d'imagerie cérébrale les plus performantes ni même les examens de cerveaux *post mortem* ne comportent de « signature » d'un trouble psychique. Et pourtant, la tentation de la démarche médicale est si grande que c'est elle qui prévaut aujourd'hui. Tous les symptômes psychiques sont purement subjectifs. Peu importe, on fait comme s'il n'en était rien. En réalité, les seuls supports des symptômes sont les mots utilisés par le patient, ses comportements, son habitus, les réactions de son entourage, les écarts par rapport à la norme sociale et culturelle du lieu et du moment (la vérité du plus grand nombre) et la subjectivité de l'examinateur !

Beaucoup d'instances trouvent leur compte dans cette attitude. Le corps médical d'abord, qui a « médicalisé » l'irrationnel, donc l'insupportable. La société ensuite, qui trouve un cadre logique, familier, prévisible à un domaine qu'elle n'a jamais su bien situer : la « folie ». Est-elle possession par le démon ? Est-elle une expression de la délinquance et d'un comportement asocial ? Il y a deux cents ans, en 1793, Pinel a répondu que c'était une maladie et qu'elle relevait des hôpitaux.

Dès lors, l'arsenal médical s'est mis en place avec ses hypothèses sur les causes, ses explorations et bien sûr ses médicaments. Les mesures d'aide sociale se sont également développées, affirmant le caractère médical des troubles, leur attribuant une existence à la mesure de leur statut légal.

Si Pinel a – plus symboliquement qu'historiquement – « délivré les aliénés de leurs chaînes » et transféré la maladie mentale de la prison à l'asile, l'application de la démarche médicale au diagnostic en psychiatrie tient à deux autres faits. Le premier est l'essor de la neurologie et ses rapports avec la psychiatrie, le deuxième est l'invention du concept de médicament psychotrope.

La psychiatrie, en tant que discipline universitaire autonome, n'existe en France que depuis 1968. Avant cette date, seule était reconnue la neuropsychiatrie. Elle constituait une spécialité médicale enseignée dans les facultés de médecine par une même autorité couvrant tout le champ des connaissances de la neurologie et de la psychiatrie. Le même distingué professeur passait allègrement d'un cours sur la sclérose en plaques à un autre sur la névrose hystérique avec le même état d'esprit, la même formation, la même pratique. À la fin du XVIIIe siècle, neurologie et psychiatrie sortent seulement des ténèbres. On en est encore à la description. Esquirol pour la psychiatrie et Parkinson pour la neurologie se situent en réalité dans la même démarche de pensée. Puis, le XIXe siècle connaît un bouleversement extraordinaire. C'est la découverte de la méthode anatomo-clinique par Laennec. À une maladie précise correspond une lésion précise d'un organe qui explique les symptômes de la maladie. Le modèle médical est né !

Les « neuropsychiatres » se précipitent pour mettre en application cette découverte. Les découvertes alors succèdent aux découvertes, démontrant le bien-fondé de cette conception. Charcot et Broca, bien entendu, sont les références incontestées qui donnent à la neurologie ses lettres de noblesse. L'étude *post mortem* du système nerveux lésé explique toute la symptomatologie de la maladie décrite du vivant du patient. L'ennui, c'est que ce n'est pas pertinent pour la psychiatrie. Peu importe, la logique du modèle est tellement éclatante, les progrès de la compréhension des maladies neurologiques sont si rapides que les neuropsychiatres ne remettent rien en cause pour la psychiatrie et pensent que, grâce à la science, le modèle médical anatomo clinique s'appliquera demain à la psychiatrie. Plus de cent ans plus tard, à l'époque de la génétique moléculaire, on en est toujours au même point, et la psychiatrie, récalcitrante et têtue, refuse encore d'obéir au modèle médical !

Si les neuropsychiatres universitaires sont les seuls à détenir le savoir officiel et à l'enseigner, maintenant la psychiatrie sous la tutelle idéologique de la neurologie, les choses bougent pourtant en dehors de leur milieu. Des psychiatres, n'ayant pas le droit officiel à l'enseignement, observent leurs malades dans les « asiles ». On les appelle les « aliénistes ». Ils hésitent parfois, face à ce qu'ils constatent, à suivre de trop près le modèle médical. Mais l'influence est forte. Un Jackson, qui fonda l'épileptologie, tira argument des troubles psychiques constatés chez certains épileptiques pour proposer une véritable « théorie neurologique » de la psychiatrie. Falret, aliéniste de renom, prônait déjà l'origine lésionnelle des maladies mentales. Puis, il y eut la rencontre de Charcot et de Freud autour des manifestations bruyantes de l'hystérie au XIXe siècle. Charcot désespérait de ne pouvoir rationaliser sur l'hystérie comme il le faisait sur la sclérose latérale amyotrophique. Chez les complaisantes jeunes femmes (certaines prostituées disait-on) qui prenaient sur commande des postures lubriques devant ses élèves ébahis, il n'y avait pas de lésion cérébrale.

Ce fut le travail de Charcot sur l'hypnose et le pouvoir de la suggestion qui attira Freud auprès de lui. Ils possédaient au départ la même formation et partageaient

les mêmes préoccupations. Ils étaient tous deux neuro-
logues, adeptes de la méthode anatomo-clinique, zélateurs
du modèle médical. Freud a même passé beaucoup de
temps devant un microscope à scruter les cellules du
système nerveux. Face à l'hystérie, qui est le modèle
permettant de comprendre ce qu'est le fonctionnement
de l'être humain normal et pathologique, Charcot s'est
laissé embourber par sa référence neurologique qui n'était
plus opérationnelle dans ce cadre précis. Il est passé à
côté d'une découverte qui aurait peut-être pu permettre
à la psychiatrie d'exister pleinement dès le XIXᵉ siècle.
Freud, quant à lui, a réussi à s'affranchir de son savoir
de neurologue et de sa référence au modèle médical. Il
a découvert que les symptômes peuvent avoir un sens qui
est propre à chaque individu, même s'ils sont en apparence
identiques. Il a replacé les symptômes « neurologiques »
de l'hystérie dans leur dimension psychologique : ce fut
le point de départ de la métapsychologie freudienne plus
connue sous le nom de psychanalyse. On connaît la suite
de l'histoire...

Mais, comme personne n'est parfait et que la découverte de la psychanalyse suffisait au bonheur de Freud,
il n'a pas repéré la troisième dimension du comportement
humain : le contexte et l'interaction avec le milieu. Ce
n'est que beaucoup plus tard, essentiellement sous l'influence des Anglais et des Californiens, que la mise en
évidence du rôle de la communication avec le contexte
relationnel permettra d'accéder au concept de « systé-
mie ». L'analyse des systèmes de communication entre les
êtres humains éclaire leurs comportements et permet les
thérapies de couple ou de famille. Le temps n'est pas
encore venu où la psychiatrie saura vraiment intégrer le
symptôme, le sens et le contexte dans une vision globa-
lisante et simultanée de la souffrance psychique. La

connaissance de l'influence du groupe social sur l'expression des symptômes par un individu aurait permis à Charcot de comprendre que les manifestations théâtrales des hystériques qu'il présentait au cours de ses « leçons » n'étaient en fait pas inhérentes au sujet. C'est le contexte de l'époque qui les rendait possibles et en influençait la forme. De telles manifestations sont aujourd'hui exceptionnelles.

Pourtant, l'hystérie existe toujours. Elle s'exprime simplement de manière différente, habillée par les mots qu'il convient d'utiliser dans notre société, ceux qui sont acceptables et qui ont l'allure d'un diagnostic médical.

Anxiété, insomnie, dépression, douleur en sont d'autres exemples. Bien entendu, d'autres formes d'anxiété, d'insomnie, de dépression ou de douleur sans cause retrouvée ne sont pas des manifestations d'hystérie mais l'essentiel d'entre elles sans doute. Cela explique à la fois l'effet souvent miraculeux de n'importe quel médicament ou traitement pourvu qu'on y croie et la désespérante récidive des symptômes.

Les psychiatres ne se sont jamais interrogés, parce que c'est trop dérangeant, sur la question suivante : « Pourquoi la symptomatologie des maladies mentales change-t-elle de forme d'expression selon les époques ? » On ne retrouve pas en effet dans les livres d'hier les malades d'aujourd'hui. La raison en est que le contexte – la société du moment – induit et permet une certaine forme d'expression symptomatique. Le souffle tubaire décrit par Laennec n'a pas changé comme les hystériques de Charcot ou même les schizophrènes de Bleuler. Et pourtant, au fil du temps, quel que soit le mode d'expression, la souffrance psychique demeure. Elle est la rançon de l'inadaptation d'un homme avec son milieu et celle de son incapacité à supporter trop de frustrations.

C'est pourquoi aussi, d'une culture à l'autre, et quoi que prétendent une ou deux études discutables de l'Organisation mondiale de la santé, la maladie mentale revêt des apparences différentes.

La neurologie a continué à se développer au cours du XXᵉ siècle, fidèle au fructueux modèle médical, et s'appuyant de plus en plus sur la neurobiologie. Celle-ci couvre une série de disciplines scientifiques s'intéressant au fonctionnement du cerveau et allant de l'anatomie à la biologie moléculaire. La neurobiologie a progressé en fonction des outils et des technologies qui s'offraient à elle : biochimie d'abord, utilisation de marqueurs comme des anticorps ou des substances radioactives, mesure de l'activité des membranes cellulaires, étude des gènes, etc. Ce formidable essor de ce que l'on appelle aujourd'hui les « neurosciences » a considérablement servi les progrès en neurologie, essentiellement dans le domaine de la compréhension des maladies dites « dégénératives », mais pour le moment très peu dans le domaine thérapeutique. En revanche, les neurosciences n'ont, actuellement, aucune retombée concrète pour le diagnostic en psychiatrie. La neurologie s'est donc trouvée très confortée dans la justesse de son mode de raisonnement et a continué à l'appliquer à la psychiatrie en dépit de son inefficacité. Telle est la première grande raison qui explique l'application de la démarche médicale au diagnostic en psychiatrie.

La deuxième grande raison tient au « concept de psychotrope ». Les médicaments appelés « psychotropes » et susceptibles d'agir sur certains symptômes de troubles psychiques (hallucination, anxiété, insomnie, dépression) sont des substances douées d'actions pharmacologiques sur le cerveau. Le « concept de psychotrope » est différent : c'est l'idée que le corps médical s'en fait. Cette idée est nourrie d'autant de fantasmes que de faits précis. Elle repose sur un raisonnement tautologique. Premièrement : puisque le modèle médical est efficace pour établir un diagnostic en médecine, il doit l'être aussi en psychiatrie. Deuxièmement : les médicaments, qu'ils aient une action symptomatique seule (antalgique) ou curative (antibiotique), agissent en médecine sur les conséquences d'une maladie. En d'autres termes, les symptômes révèlent la réalité d'une entité qui porte un nom : le diagnostic. Troisièmement : les médicaments psychotropes sont des médicaments comme les autres. Quatrièmement : puisque les médicaments psychotropes agissent sur certains symptômes des maladies mentales, ceux-ci sont la traduction d'une entité qui va conduire à un diagnostic et porter un nom. La boucle est bouclée, et c'est ainsi que l'analogie entre médicaments psychotropes et médicaments pour les maladies somatiques renforce l'analogie entre diagnostic médical et diagnostic d'une « maladie » psychiatrique.

## Le diagnostic clinique aujourd'hui

Le diagnostic psychiatrique se veut calqué sur celui de n'importe quelle maladie. Il est pourtant purement symptomatique. Cette démarche a une valeur certaine, mais elle ne représente qu'une partie de la réalité. Cette « lecture » symptomatique devrait compléter une lecture du sens qui repose essentiellement sur la clinique psychanalytique et sur une lecture du contexte du patient, essentiellement systémique. Il n'en est rien. Le corps médical préfère laisser croire que les symptômes, et eux seuls, constituent une vraie maladie. Or la dépression, une attaque de panique ou une bouffée délirante ne sont pas des maladies comme la fièvre typhoïde, la polyarthrite rhumatoïde ou le cancer de l'œsophage. Ce sont des entités, mais qui nécessitent, pour être approchées, une prise en compte globale et simultanée du symptôme, de sa signification et de son contexte de survenue. Un programme de traitement, une véritable stratégie de soulagement pourra alors être mise en œuvre, impliquant la participation de celui qui souffre et ne se résumant pas à l'administration isolée d'un médicament, aussi efficace soit-il sur les symptômes.

C'est là encore une différence fondamentale avec le traitement médicamenteux d'une maladie somatique. La participation active et informée du patient est nécessaire au processus de guérison. Dans le cas de toutes les maladies somatiques, y compris les cancers, cette participation active et informée serait idéale. Elle renforcerait l'efficacité des traitements. Mais pour de nombreuses maladies somatiques, on dispose de traitements agissant spécifiquement sur des causes connues. On peut donc guérir une pneumonie à pneumocoques en administrant seulement l'antibiotique adapté au germe en cause. Pour, au sens plein du terme, guérir une dépression, il ne suffit pas d'administrer simplement un antidépresseur. Agir ainsi, c'est courir le risque d'un traitement très long, laissant alors le temps à d'autres facteurs non pharmacologiques d'intervenir pour que le patient finisse par guérir. C'est courir aussi le risque d'exposer le patient à toutes les rechutes ou récidives possibles. Nous vivons aujourd'hui une situation paradoxale. On nous affirme que les « nouveaux » antidépresseurs sont de plus en plus efficaces et on préconise simultanément des traitements de plus en plus longs : six mois, un an, voire à vie... Quelle en est la raison ?

C'est tout simplement que les médecins donnent de moins en moins de temps à leurs malades et que le traitement se résume au seul médicament. Celui-ci n'est – au mieux – qu'un élément d'un tripode. Il prépare la guérison qui ne saurait être totale que grâce à un vrai travail psychologique et à une analyse de la situation existentielle.

Le diagnostic clinique des troubles psychiques, en cours aujourd'hui, a été très largement influencé par les médicaments psychotropes eux-mêmes, ou plutôt par le « concept de psychotrope ». Des substances à action pharmacologique ont la propriété – parmi beaucoup d'autres – de faire disparaître des hallucinations (neuroleptiques ou antipsychotiques), d'atténuer l'angoisse (anxiolytique), de favoriser le sommeil (hypnotique) ou de normaliser une humeur triste (antidépresseur). Les noms attribués à ces médicaments sont fondés sur une de leurs propriétés symptomatiques parce que c'est cette propriété qu'il a été choisi de développer commercialement.

Les termes antipsychotique, anxiolytique, antidépresseur sont chargés de représentations fortes parce qu'on a oublié qu'il s'agissait simplement d'une des actions symptomatiques de ces substances et isolé le symptôme comme s'il s'agissait d'une maladie à lui seul. Les classifications diagnostiques ont donc accueilli des catégories de maladies qui correspondaient aux noms que l'on avait attribués aux catégories de médicaments psychotropes. Aux antidépresseurs doit nécessairement correspondre une maladie que l'on nommera dépression, aux anxiolytiques une maladie appelée anxiété, etc. Même si les psychiatres introduisent plus de subtilités dans cette correspondance, elle domine la pratique quotidienne de la prescription. On a oublié, ou feint d'oublier, que la classification des médicaments psychotropes était totalement artificielle et qu'elle n'authentifiait pas les symptômes traités en tant que maladie à part entière. Un antidépresseur de référence comme la clomipramine est également actif sur la migraine, les douleurs, l'ulcère de l'estomac, etc. Son mode d'action biochimique permet d'en comprendre les raisons. D'autres antidépresseurs, bloquant la recapture dans la cellule nerveuse d'une substance, la sérotonine, sont également actifs – semble-t-il – sur les troubles obsessionnels, la boulimie, les attaques de panique. Faut-il alors à chaque fois leur donner un nom spécifique comme s'ils traitaient une maladie autonome ou établir une relation entre la dépression et ces troubles ?

### À l'impossible le psychiatre est tenu

Depuis fort longtemps, les médecins ont nommé et essayé de décrire les comportements étranges de leurs semblables. La première description de la mélancolie est attribuée à Hippocrate, mais c'est au XIXe siècle que cette démarche a été systématisée au point de donner lieu à une classification que l'observation dans les « asiles » autorisait et favorisait. Bien entendu, les conditions de vie des personnes hébergées dans les asiles conditionnaient en grande partie leurs symptômes et leurs comportements, ce qui échappait totalement aux observateurs de l'époque et ce qui explique qu'on ne retrouve plus aujourd'hui les détails qu'Esquirol par exemple observait chez ses malades. La prévalence du modèle médical a petit à petit conduit à renforcer l'attitude diagnostique qui consiste à décrire les comportements du malade confronté à l'interrogatoire parfois caustique du maître au cours d'un inégal face-à-face public lors des « leçons cliniques ». Kraepelin, à la fin du XIXe siècle, a ainsi construit un système de classification diagnostique dont certaines bases sont encore utilisées aujourd'hui. Jusqu'à une époque très récente, le malade mental était considéré par certains maîtres en psychiatrie comme un être inférieur dont les symptômes aberrants leur permettaient de briller devant des auditoires de jeunes médecins admiratifs. Dans ces conditions de spectacle public, le sens du symptôme propre à chaque individu et le contexte relationnel n'avaient aucune chance d'être mis en évidence ! La clinique était donc une clinique descriptive, observée de l'extérieur du malade, à travers la subjectivité de l'observateur. S'il y avait écoute..., c'était celle du patient qui devait écouter les commentaires que l'on faisait à propos de son cas.

La grande époque des « aliénistes » se termine à peu près à la fin du XIXᵉ siècle. Les « psychiatres » vont voir le jour, louvoyant entre neurologie et psychologie, souvent expérimentale, sans pouvoir définir une psychiatrie autonome. La psychanalyse s'individualise et Freud se sépare de la neurologie, même si ses anciennes amours se manifestent parfois encore sous la forme de prémonitions ou de prophétie, comme dans *Esquisse d'une psychologie scientifique* où il affirme que la psychologie se réduira en dernière instance à des explications biologiques. Il influença notablement Eugène Bleuler, qui en 1911 inventa le terme de « schizophrénie » et dessina le cadre toujours admis dans lequel sont inscrits l'essentiel des délires dits chroniques. Ces deux hommes ont joué un rôle capital dans l'émergence des conceptions contemporaines de la psychiatrie. L'un, Freud, s'est attaché à l'étude originale, par la psychanalyse, du monde de la névrose ; l'autre, Bleuler, grâce au concept de schizophrénie, a défini le cadre clinique du monde de la psychose. Depuis, on n'a guère proposé que des réductions contestables de ces mouvements.

Seul un homme a émergé dans les années cinquante, pour organiser la confrontation entre les divers courants et développer un considérable travail de description clinique. Il s'agit de Henri Ey. Il a tenté d'intégrer au sein d'une psychiatrie autonome les apports de la neurologie ou plutôt de la neurophysiologie, de la psychanalyse et – de manière plus timide – de la sociologie. Sa conception « organo-dynamiste » était une percée pour une description globale de la psychopathologie ou troubles du comportement psychique. Il avait cependant laissé de côté les interactions du sujet avec la société.

Ce sont les mouvements antipsychiatriques, parfois caricaturaux dans leurs excès, en Angleterre et en Italie qui permettront une théorisation de la communication entre le malade et son milieu. Cette mise en forme conceptuelle aura lieu sur la côte Ouest des États-Unis et débouchera sur les thérapies systémiques. Mais ni l'apport psychanalytique ni l'apport systémique (le contexte) ne seront intégrés aux critères cliniques menant au diagnostic en psychiatrie. Aujourd'hui, sous un habillage moderne, le diagnostic demeure fondé exclusivement sur une collection de symptômes que la communauté scientifique a beaucoup de difficultés à admettre de manière consensuelle comme pathologiques. En d'autres termes, le diagnostic psychiatrique n'est pas universel.

En fait, si l'on y regarde de près, la situation est aujourd'hui extrêmement paradoxale. On propose aux psychiatres deux « bibles » permettant d'établir un diagnostic psychiatrique sur la base de la seule description symptomatique. Toutefois, ces ouvrages prennent dans leur préface toutes les précautions pour répondre aux critiques éventuelles que l'on pourrait adresser à la démarche sur laquelle ils se fondent. L'inconvénient, c'est que le milieu psychiatrique ne semble pas lire les préfaces ou tenir compte des mises en garde. La « bible » est donc prise au pied de la lettre comme si elle contenait la seule et unique description objective d'une liste de maladies constituant des entités. On y trouve aussi la procédure à suivre pour formuler un diagnostic.

Ces « bibles » ont pour noms : DSM III R et CIM 10. Le premier ouvrage est nord-américain : il s'agit du *Diagnostic and Statistical Manual of Mental Disorders* (ou Manuel Diagnostique et Statistique des Troubles Mentaux, troisième version révisée). Le second est issu des travaux de l'Organisation mondiale de la santé et s'intitule *Classification Internationale des Maladies,* dixième version (CIM 10). Le DSM III comme la CIM 10 ont été conçus de manière identique mais dans des cadres culturels différents. Aux États-Unis, des groupes d'experts travaillent depuis la création du DSM I à établir et à améliorer cet outil permettant le diagnostic en psychiatrie. Le DSM I a vu le jour en 1952. Il était très influencé dans sa conception par l'idéologie dominante à l'époque en Amérique du Nord, celle d'Adolf Meyer. Celui-ci pensait que tous les troubles psychiques se développaient en réaction à des situations conflictuelles. Cette pathologie de la réaction a donc fortement imprégné les DSM I.

C'est sous l'égide de la puissante Association américaine de psychiatrie que les DSM ont été conçus et se sont transformés. Des groupes de travail constitués d'experts psychiatres sont répartis sur tout le pays et doivent arriver à un consensus permettant de dégager des définitions des troubles psychiques. Il s'agit donc d'unifier la terminologie pour permettre aux cliniciens et aux chercheurs de communiquer entre eux. Néanmoins, ce travail considérable, en révision constante depuis quarante ans, est essentiellement représentatif de la culture et de la société nord-américaine. Une excellente politique commerciale dans le domaine de l'édition et de l'industrie pharmaceutique, soutenue par la volonté expansionniste du milieu scientifique américain, a rapidement imposé le DSM à partir des années quatre-vingt dans le monde entier quelles que soient les particularités culturelles nationales. C'est ainsi qu'en France, comme dans la quasi-totalité des pays industrialisés dans le monde, le DSM est devenu la référence pour les milieux universitaires qui n'enseignent plus qu'une psychiatrie du symptôme. De même pour les chercheurs et les expérimentateurs de médicaments psychotropes : ils ne sélectionnent plus les malades en investigations que sur la base des critères du DSM. Même les autorités sanitaires, les compagnies d'assurances, les avocats en cas de procès raisonnent à partir du DSM. Un trouble psychique n'existe que s'il est répertorié dans le DSM ! Certes, il existe de nombreux autres systèmes de classification diagnostique dans le monde, mais aucun ne peut entrer en compétition avec le fabuleux succès commercial du DSM qui permet de vendre au monde entier des livres, des abrégés, des stages de formation, des congrès, des disquettes, etc...

Les groupes d'experts qui édifient les versions successives des DSM livrent à chaque fois une mouture temporaire révélant l'état des connaissances et des confrontations à un moment donné. Le DSM II publié en 1968 contenait encore la référence au concept de névrose, qui est directement issu de la psychanalyse. Puis, la volonté d'être « a-théorique » et purement descriptif s'est imposée dans le DSM III, paru presque dix ans plus tard. Le mot névrose a donc été banni, car il se référait à un *a priori* théorique. Des groupes de pression ont aussi pu faire valoir leur point de vue : c'est ainsi que l'homosexualité a définitivement disparu du DSM III R alors qu'elle figurait précédemment au titre des « troubles du comportement sexuel ».

Aujourd'hui, le DSM III R, paru en 1987, et qui préfigure

le DSM IV prévu pour 1994, a beaucoup de difficulté à rester « a-théorique ». La prétention à l'objectivité en matière de trouble psychique est une ligne de conduite difficile à tenir. Alors qu'il se veut purement descriptif et en dehors des querelles portant sur les causes des maladies mentales, l'ouvrage prend en fait implicitement parti pour une origine biologique. Le diagnostic du trouble psychique repose sur une approche multi-axiale. Les axes I et II regroupent la description des troubles mentaux. L'axe III repère les éventuels troubles physiques associés, l'axe IV rend compte du contexte, c'est-à-dire des facteurs de « stress psychosocial » constatés par l'examinateur. On est déjà très engagé dans la subjectivité. L'axe V qui « apprécie globalement le fonctionnement du sujet » laisse au psychiatre totale liberté de se projeter. On voit combien la construction d'un diagnostic obéit dans cette approche à la référence aux normes culturelles, à la subjectivité de l'examinateur et combien elle élimine presque totalement l'opinion du patient.

Un exemple simple permettra de comprendre la description des symptômes tels qu'ils sont pris en compte dans le cas d'un épisode dépressif. L'interrogatoire du patient doit mettre en évidence « au moins cinq des neuf symptômes suivants, à condition qu'ils soient présents pratiquement tous les jours, pendant au moins deux semaines consécutives, qu'ils constituent une rupture par rapport à l'état antérieur et que les items 1 ou 2 soient obligatoirement présents » :

1 – Humeur dépressive
2 – Diminution marquée de l'intérêt ou du plaisir dans la plupart des activités
3 – Perte ou gain de poids de plus de 5 % en 1 mois
4 – Insomnie ou hypersomnie

5 – Agitation ou ralentissement

6 – Fatigue ou perte d'énergie

7 – Sentiment d'indignité ou de culpabilité excessive ou inappropriée

8 – Diminution de l'aptitude à penser ou à se concentrer ou indécision

9 – Pensées récurrentes de la mort ou idées suicidaires

Voilà une démarche descriptive permettant de poser un diagnostic clinique de dépression, à condition que la notion de durée et de persistance des symptômes soit respectée. Et pourtant, combien de médecins ne tiennent pas compte de ces nécessités et prescrivent un traitement antidépresseur à des gens qui sont simplement tristes et désabusés et que l'anxiété conduit à une difficulté d'endormissement ! Quoi qu'il en soit, même en respectant scrupuleusement les critères requis pour le diagnostic, cette démarche ne s'intéresse ni au discours du patient, à ce qu'il ressent, à la manière dont il exprime sa souffrance, au sens de ses représentations, ni au contexte dans lequel survient cet épisode. Pourtant, ces éléments permettraient de situer avec plus de justesse la réalité et les caractéristiques de la souffrance ressentie.

Ces remarques ne visent pas à discréditer l'outil diagnostique qu'est le DSM, mais à relativiser sa valeur et son crédit. Un diagnostic clinique en psychiatrie est toujours approximatif ; il exprime une probabilité et jamais une vérité enfermant le patient dans un cadre définitif. Ajouter à la description symptomatique une lecture du psychisme du patient et du contexte dans lequel il évolue permet d'être plus proche de la réalité de sa souffrance mais ne constitue en aucun cas un verdict comme peut l'être le diagnostic d'une maladie somatique.

Si la situation est déjà complexe dans un domaine

comme celui de la dépression, elle est insoluble dans cette nébuleuse que l'on appelle la schizophrénie. Certes, le DSM offre une procédure pour parvenir au diagnostic de schizophrénie. Mais un chercheur français, Sonia Dollfus, a dénombré dix-sept systèmes de classification diagnostique de la schizophrénie dans le monde. Ces systèmes sont tous reconnus par la communauté scientifique. Malheureusement, ils ne se recoupent pas entre eux : aucun ne permet de diagnostiquer comme schizophrènes tous les patients qui lui sont soumis. On peut donc être schizophrène ou pas selon le système diagnostique choisi. De surcroît, aucun de ces systèmes ne peut à la fois permettre le diagnostic en phase aiguë et en phase de stabilisation.

Le DSM, heureusement, s'ouvre dans sa dernière version (DSM III R) par une préface et des recommandations qui invalident en grande partie l'utilisation concrète et quotidienne de cet outil diagnostique.

Tout d'abord, le mot maladie n'est jamais utilisé. Seuls les « troubles mentaux » sont pris en compte. De surcroît, il est expliqué qu'aucune définition précise ne peut être donnée d'un trouble mental et que le livre propose simplement une classification « d'ensembles cliniquement significatifs » exprimant le « désarroi actuel » d'un être humain, c'est-à-dire sa souffrance. Les États-Unis sont un pays où les minorités savent se défendre, où les procès fleurissent et où le droit à réparation est systématiquement appliqué. Aussi le DSM prend-t-il de très nombreuses précautions. Sont ainsi exclus des troubles du comportement « les conduites politiques, religieuses ou sexuelles déviantes ». Ne sont également pas pris en compte les « conflits entre un individu et la société ». Le DSM insiste beaucoup sur le fait que le manuel ne classe pas les individus mais des catégories nosologiques. On ne dit pas un alcoolique mais « un individu avec une dépendance à l'alcool ». On ne dit pas un schizophrène mais « un individu avec une schizophrénie ».

Dans le *melting pot* culturel que sont les États-Unis, les auteurs ont aussi pensé aux aspects transculturels. Il est bien spécifié que l'utilisation du DSM « n'a pas de valeur si le patient appartient à un groupe ethnique ou culturel différent de celui du clinicien examinateur ». Il est même précisé que « les hallucinations de la voix d'un mort pendant les premières semaines de deuil sont banales chez certains Indiens nord-américains » ou qu'il en est de même pour les « expériences de transe et de possession dans le contexte rituel de cultures non occidentales ». C'est, à l'évidence, reconnaître que la norme est édictée par le contexte culturel et qu'elle n'a aucune valeur absolue et universelle. Ces précautions sont louables et indiscutables, mais les utilisateurs du manuel les négligent le plus souvent, tout comme ceux qui ont intérêt à accréditer auprès des autorités sanitaires et du public l'idée que « les maladies mentales sont des maladies comme les autres et se soignent de la même manière ».

L'autre « bible » servant à établir un diagnostic psychiatrique émane de l'Organisation mondiale de la santé. La dixième version est parue en 1993, la précédente ayant été établie entre 1976 et 1979. La *Classification internationale des troubles mentaux et des troubles du comportement* – Directives pour le diagnostic, dixième version (CIM 10) est finalement le résultat d'un compromis culturel et politique. En effet, l'OMS, comme tous les grands organismes internationaux, cultive le compromis pour ne vexer ou ne léser aucune identité nationale. Les groupes d'experts sont donc composés au trébuchet afin de peser soigneusement l'influence de chaque pays.

Néanmoins, il faut reconnaître que l'OMS en matière

de psychiatrie a longtemps privilégié l'Europe au détriment des États-Unis, ou plutôt qu'elle a servi de contrepoids européen à l'hégémonie scientifique des États-Unis. Les différentes *Classifications internationales des troubles mentaux* de l'OMS ont longtemps tenu compte des particularismes européens et ont essayé d'intégrer les spécificités de chaque pays. Mais le rouleau compresseur du DSM a laminé les dernières résistances nationalistes et – quels que soient les arguments utilisés – l'opinion nord-américaine a prévalu, poussant à aligner la CIM 10 de l'OMS sur le DSM III R des États-Unis. Le mot « maladie » ou « affection » a été éliminé du vocabulaire, ce qui est une bonne chose, et comme dans le DSM, le terme « trouble » psychique a été retenu. Il s'agit « d'un ensemble de symptômes et de comportements associés dans la plupart des cas à un sentiment de détresse et à une perturbation du fonctionnement personnel ». Il est également précisé par le document de l'OMS que « les conduites sociales déviantes ou conflictuelles sans perturbation du fonctionnement personnel ne sont pas des troubles mentaux ». On retrouve, comme dans le DSM III une louable prudence mais aussi la reconnaissance implicite que si on perturbe les autres sans être perturbé soi-même il ne s'agit pas de trouble psychiatrique ! Comme on est loin de la réalité quotidienne où le maire d'une commune ou un commissaire de police peuvent faire interner en hôpital psychiatrique celui qui « perturbe l'ordre public » !

Dans cette dernière mouture de la CIM 10, on remarquera que l'hystérie de Charcot est toujours présente mais qu'elle a changé de nom ! Elle est devenue « trouble dissociatif ou conversif », selon qu'il existe ou non des manifestations physiques. Enfin, un concept nouveau apparaît, celui de « trouble dépressif récurrent bref », qui permet de soumettre à un traitement antidépresseur toute personne ayant été triste pendant quelques jours. Diagnostic, diagnostic, que ne fait-on en ton nom !

*

À la démarche diagnostique de type médical qui repose sur une classification de symptômes cliniques, il faut opposer deux autres grilles de lecture déjà évoquées : la clinique psychanalytique et la clinique contextuelle. L'une et l'autre contribuent à donner à la souffrance psychique sa vraie physionomie tridimensionnelle. L'ennui, c'est que le diagnostic symptomatique est aujourd'hui le seul à avoir droit à une reconnaissance officielle. La démarche médicale, ou ce qui lui ressemble le plus, est donc l'unique matière enseignée aux étudiants pour caractériser la souffrance psychique.

Il existe pourtant une clinique psychanalytique dont le but n'est pas de s'intéresser à des symptômes ou d'aboutir à un diagnostic. Son objectif, c'est le sujet et lui seul. C'est le sens de ce qu'il exprime et le conflit qu'il vit entre ses désirs et ses interdits. Tous les épisodes dépressifs du DSM III sont identiques dans leur description, mais chaque déprimé est unique dans son histoire. Méconnaître ce fait, c'est s'exposer en tant que thérapeute à de graves déboires.

De même, la clinique du contexte s'attache à démêler l'écheveau souvent complexe et paradoxal du réseau de communication qui se tisse entre les êtres.

C'est la juxtaposition des trois cliniques (le symptôme, le sens et le contexte) qui permettrait le moins mal de décrire les troubles psychiques. Malheureusement, cette éventualité se rencontre exceptionnellement dans la pratique. Dans les conditions habituelles de consultation, le patient retrouve, parfois sans le savoir, chez un praticien

« classique » adepte de la clinique du symptôme ou bien chez un soignant formé principalement à la clinique psychanalytique. Dans le premier cas, la consultation n'est pas dépaysante par rapport à la médecine somatique ; dans le deuxième cas l'identification est facile car le plus souvent le soignant est muet pendant toute la séance. Au moins, il est sûr de ne pas dire de bêtises ! Parfois, le praticien classique a le sentiment qu'une psychothérapie est nécessaire et il envoie le patient « chez le psychothérapeute ». Dans d'autres cas, c'est l'avis de systémiciens, décrypteurs du contexte, qui est demandé. Il est en effet très exceptionnel que le même médecin possède les trois formations. Le malade est donc « découpé en rondelles » selon la tranche de savoir de son interlocuteur. Il aura rarement la chance d'une lecture simultanée et synthétique de ses troubles psychiques par un même interlocuteur. Dès lors, le patient devra, bien involontairement, épouser l'idéologie et le système de décryptage, toujours partiel, de son soignant, comme il devra s'adapter au traitement proposé qui découle du modèle de référence utilisé par le soignant.

# Chapitre 2

# La dure réalité des troubles psychiques

Les manuels qui donnent des classifications des troubles psychiques ou mentaux sont régulièrement remis en cause, contestés et révisés. On peut y voir un souci scientifique d'amélioration perpétuelle des connaissances ; on peut y voir aussi l'impossibilité – à ce jour – de définir et de cerner de manière définitive ce que l'on entend par « troubles mentaux ». Certains sont même allés jusqu'à se demander si les troubles mentaux existent bien ou s'ils ne sont pas seulement une construction rationnelle émanant d'une société en quête de certitudes. Pour les soignants, une seule conviction demeure : il existe des êtres humains qui, à certains moments de leur existence, témoignent d'une souffrance et d'une inadaptation au milieu dans lequel ils vivent et les expriment par des symptômes et des comportements qui ne correspondent pas à la manière d'être du plus grand nombre. Pour aider ces êtres humains en souffrance, pour se repérer parmi leurs modes d'expression, pour communiquer entre soignants, les classifications sont commodes et utiles à condition qu'elles ne constituent pas des cadres définitifs dans lesquels enfermer la souffrance psychique. On ne saurait ici rendre compte de la diversité des classifications, de la subtilité parfois très artificielle des groupes et des sous-groupes. Les manuels largement évoqués précédemment comportent des centaines de pages. Le seul but poursuivi ici est de fournir des repères afin que le lecteur soit guidé dans sa compréhension des indications des médicaments psychotropes. C'est donc d'une manière simplifiée que seront évoqués les principaux troubles psychiques.

### L'exagération de comportements habituels ou leur permanence

La tristesse, parfois profonde, est la rançon des frustrations de l'existence et d'expériences traumatisantes. Le deuil d'un être cher ou la perte d'un investissement affectif rendent bien compte de ce qu'est l'humeur dépressive avec son cortège de découragement, de renoncement, de fatigue, de perte d'espoir et de projets. Cette expérience, hélas banale, de l'existence humaine s'amplifie considérablement et prend une dimension immuable et durable dans ce que l'on appelle une *dépression*. Peu importe de savoir si tristesse existentielle et dépression sont de nature identique ou différente. Pour celui qui souffre, pour son entourage, pour le médecin qui écoute, elles sont souvent bien proches. Et pourtant, les formes d'aide doivent être différentes. Le lien entre une cause alléguée et l'état éprouvé ou même l'absence de cause ne sont pas des arguments suffisants pour départager tristesse et dépression. En revanche, la permanence, sans variation, des symptômes, au cours de la journée, leur durée sans rémission pendant plusieurs semaines, la richesse des manifestations somatiques et psychiques d'accompagnement font évoquer la dépression et entreprendre un traitement. Un épisode de tristesse, même profonde, qui varie dans son expression au cours de la journée en laissant la possibilité de périodes – même brèves – où la vie peut apporter du plaisir, nécessite une aide psychologique, du réconfort, une place pour le dialogue et la réflexion, mais sûrement pas le lourd traitement d'une vraie dépression. Ce n'est malheureusement pas ce qui se passe en pratique où toute personne triste consultant un médecin a de fortes chances de se voir offrir un traitement qui le plus souvent se limite à la prescription d'un antidépresseur quand ce n'est pas deux, assortis de quelques tranquillisants. On peut donc considérer, pour se repérer, que la dépression est l'exagération, qualitative et quantitative, des expériences de tristesse que la vie peut nous imposer.

Toujours dans le domaine de l'humeur, l'image en miroir de la tristesse est la gaieté. La franche gaieté, celle qui est conviviale et communicative, qui stimule la créativité, les jeux de mots, les échanges, qui accélère la pensée et fait fuser les reparties, connaît aussi ses excès, que l'on appelle *état maniaque*. Il s'agit d'un virage souvent brutal de l'humeur qui produit un excès de comportement insupportable pour l'entourage. La gaieté devient jovialité souvent vulgaire, l'accélération de la pensée, de la mimique, des gestes conduit à tous les débordements, à des actions ou à des projets débridés, libérés de toutes les censures culturelles et sociales. L'accélération des fonctions psychologiques et physiologiques (insomnie, hyperactivité sexuelle, boulimie, etc.) peut entraîner des comportements regrettables ou dommageables, surtout lorsque des idées délirantes de grandeur ou de persécution se greffent sur le tableau. L'état maniaque lui aussi est l'exagération, poussée à son paroxysme et prolongée dans le temps, d'une situation que l'on peut vivre de manière habituelle : l'excitation euphorique surtout lorsqu'elle s'accompagne de libations. Les tonus de salles de garde ou la troisième mi-temps des matches de rugby peuvent en donner une idée.

L'*anxiété* est une autre expérience existentielle, parfois quotidienne, que chacun éprouve. Ce mélange de malaise psychique et physique survient habituellement dans des circonstances précises : attente et appréhension d'un événement souhaité ou redouté (rencontre, confrontation, examen, évaluation). En fait, l'anxiété, sous le nom de timidité, peut accompagner de très nombreux actes de la vie de tous les jours. Elle entrave aussi les rapports sociaux qui sont redoutés et, dès lors, évités. L'anxiété dite pathologique est l'exagération qualitative et quantitative de ce que chaque être humain a éprouvé ou éprouve de manière très répandue. Il n'est jusqu'à ces crises aiguës d'angoisse, appelées « attaques de panique » pour plaire à la terminologie récente nord-américaine, qui ne possèdent aussi leurs pendants chez chaque être humain. En effet, qui peut se vanter de n'avoir jamais connu au cours de sa vie, dans des circonstances vécues comme pénibles ou dangereuses, de ces accès de panique qui vous sidèrent et vous laissent le cœur battant comme si votre dernière heure était arrivée ? Certes, dans ce cas, les crises aiguës d'angoisse sont liées à des événements vécus ou anticipés dont la tonalité affective est pénible. Dans « l'attaque de panique », il ne semble pas exister d'événements déclenchants. En fait, ce qui se trame à l'insu de notre conscience éveillée vaut bien une peur identifiée pour déclencher, brusquement, sans cause apparente un accès aigu d'angoisse. L'appréhension consciente ou inconsciente de retrouver des lieux, de revivre des situations, d'affronter des personnes auxquelles s'attachent de mauvais souvenirs est susceptible de déclencher un état d'anxiété diffuse et de malaise général. Qui n'a ressenti, un jour, après une fin de semaine agréable, l'ambiance du dimanche soir se dégrader inexplicablement tout simplement parce que le lundi matin, avec ses difficultés professionnelles, commence à se profiler ? Il existe donc un lien très fort, en matière de troubles de l'humeur et d'anxiété, entre ce que l'on éprouve normalement dans l'existence quotidienne et des troubles qualifiés d'anormaux par les psychiatres. Où est la frontière entre le normal et le pathologique ? Quand commencer à administrer des médicaments psychotropes et pendant quelle durée ? Que gagne-t-on à gommer systématiquement, artificiellement et parfois durablement les conséquences légitimes sur notre affectivité des rencontres avec la vie ? Bien outrecuidant serait le médecin qui prétendrait détenir des réponses claires et définitives à ces questions cruciales.

*La permanence de comportements étranges
ou irrationnels*

Nous avons tous, à certains moments de notre vie, des comportements étranges ou irrationnels qui demeurent souvent des jardins secrets inconnus de nos proches. Il en est ainsi des *phobies* et des *comportements obsessionnels*. Une phobie est une peur irrationnelle d'un objet, d'un être vivant, d'une situation qui nous pousse à en redouter et à en éviter le contact. Chacun possède sa ou ses petite(s) phobie(s). La rencontre avec « l'objet phobogène » déclenche des réactions de peur disproportionnées avec la réalité du danger. Cris et fuite éperdue devant une araignée, une souris, un serpent en sont des exemples courants. C'est parfois plus complexe, impliquant des situations que l'on évite (on appelle cela superstitions), comme de passer sous une échelle. Nos dégoûts ou nos déplaisirs sont nourris de ces petites phobies. Isolées, gardées secrètes, elles ne gênent pas la vie sociale. On évitera de toucher telle étoffe ou telle surface désagréable, on se bouchera les oreilles en entendant crisser la craie sur le tableau noir.

Certes, dès ce stade, strictement normal, les thérapeutes selon leur formation et leur culture proposent des explications psychanalytiques (le sens) ou biochimiques (les neurotransmetteurs), mais en fait on ne leur demande rien. Ces comportements phobiques font partie de la manière d'être de l'homme, aussi étranges soient-ils parfois, et l'on s'en accommode aisément. Les médecins aiment à cacher leur ignorance sous des noms à racines grecques ou latines. Le florilège des phobies fournit une assez jolie collection de termes évoquant un catalogue surréaliste. On y trouve pêle-mêle la nosophobie (peur de la maladie), l'érythrophobie (peur de rougir en public), l'agoraphobie (peur des espaces vides), la claustrophobie (peur des espaces clos), la sidérodromophobie (peur des voyages en chemin de fer, comme Freud), pour ne citer que quelques exemples parmi les plus fréquents. La liste est inépuisable, illustrant le fait que cette diversité n'est pas l'apanage d'une pathologie précise, mais renvoie à des comportements individuels très répandus. La timidité, que l'on appelle phobie sociale, est la peur des contacts et des relations individuelles avec autrui, surtout lorsque l'on se vit en situation d'infériorité. La timidité est banale chez l'adolescent et l'adulte jeune. C'est lorsque ces différentes phobies deviennent permanentes, intenses et bouleversent la vie au point d'entraver tous les jours l'existence d'un être humain que l'on entre dans le registre de la pathologie parce qu'une authentique souffrance est ressentie. Mais la banalité des phobies isolées montre aussi qu'il existe un continuum entre le normal et le pathologique.

Il en est de même pour les comportements obsessionnels. Parfois, nous sommes saisis de comportements irrationnels à caractère irrépressible. Un air de musique vous chante dans la tête et vous êtes incapable de le faire disparaître par votre seule volonté. Au moment où vous n'y pensez plus, vous constatez qu'il a disparu. La méticulosité, le souci de l'ordre et du rangement, le dégoût de la saleté, le besoin de se laver les mains dès qu'elles sont souillées, la nécessité de vérifier soigneusement et plusieurs fois certaines actions dont les conséquences sont importantes apparaissent comme des comportements occasionnels canalisant l'angoisse dans des périodes de stress et de fatigue ou comme de vrais traits de caractère qui sont alors habituels chez certains individus.

Dans les mêmes circonstances de tension intérieure, chacun est susceptible d'être envahi par des pensées répétitives et lancinantes que la volonté ne peut interrompre. Parfois, on se sent poussé par une force absurde et irrépressible à des actes conjuratoires ou automatiques que l'on critique sans pouvoir agir sur eux : suivre un parcours précis dans la rue, se mordre l'intérieur des joues, se tirer les cheveux ou se ronger les ongles, etc. Vous évoquez une situation désagréable qui pourrait se produire et vous dites « Touchons du bois » en joignant le geste à la parole. Dans des périodes de fatigue et d'anxiété, vous vérifiez plus qu'il n'est nécessaire la fermeture de votre porte, du robinet du gaz ou vous reprenez dix fois les calculs de votre déclaration d'impôts. Ce sont des comportements obsessifs et compulsifs. En dépit de ce joli nom, ils sont normaux et font partie de notre existence. Ils sont d'une extrême banalité, surtout à l'adolescence. Ces phobies et ces obsessions peuvent chez certaines personnes se multiplier, devenir permanentes, intenses et perturber profondément la vie quotidienne. Ils engendrent une vraie souffrance, d'autant plus pénible que leurs raisons en demeurent incomprises et qu'il est bien difficile de se confier, même à des proches, lorsqu'on mesure soi-même l'irrationnel de certains comportements. Il s'agit alors de la série des phobies, simples ou complexes, interdisant la sortie dans le monde et les contacts sociaux ou des troubles obsessifs-compulsifs (TOC) qui contraignent à d'interminables rituels absurdes de lavage, de vérification, etc. Il faut bien constater que ce qui constitue des troubles très handicapants dérive de comportements analogues, mais bénins présents chez tout être humain. Mais là encore, leur extrême fréquence sous une forme mineure illustre la continuité entre le normal et le pathologique. Il serait de la dernière absurdité de considérer une phobie ou un comportement obsessionnel comme pathologique et devant être soigné si le sujet le supporte facilement, ne s'en plaint pas et n'en subit aucune conséquence grave pour son mode de vie.

## Le langage du corps

Nous communiquons avec nous-mêmes par nos pensées et avec autrui par le langage. En fait, la communication avec l'entourage est beaucoup plus riche et elle implique la mimique, les gestes, la prosodie, etc. Le corps est aussi un considérable moyen d'expression, un outil à communiquer, qui s'adresse aussi bien à nous qu'aux autres. Le corps parle. Il traduit nos émotions secrètes, nos désirs cachés mais aussi nos rancœurs, nos refus, nos peurs, nos souffrances... La somatisation est le mot généralement utilisé pour rendre compte de cette expression par le corps de ce que nous portons en nous. Le décryptage du sens de ces messages peut s'opérer au cours d'une psychothérapie et bien souvent, le message étant entendu, la somatisation va disparaître. Il en est ainsi des multiples douleurs susceptibles d'être ressenties à tous niveaux (tête, dos, membres, cou, thorax), mais aussi intérieurement et alors nommément désignés (cœur, ovaire, estomac). Il s'agit là, bien entendu, de douleurs qui ne sont en rapport avec aucune lésion organique, aucune maladie reconnue par les somaticiens. Ce sont les troubles « fonctionnels ». Certes, ils ont une fonction souvent méconnue ou négligée, celle d'exprimer un message. La métaphore est utile pour en comprendre le sens. « J'en ai plein le dos de la vie que je mène » peut s'exprimer par des lombalgies. La difficulté est majeure lorsque des radios de la colonne vertébrale montrent aussi une légère arthrose lombaire ! Le langage métaphorique est riche de ces allusions au corps : « gros sur le cœur », « le souffle coupé », « l'estomac dans les talons », « la tête vide ».

Les *douleurs corporelles sans lésion* décelable font partie de notre quotidien. Elles sont gênantes, rarement intenses, toujours limitées dans le temps. Elles ont un sens sur lequel on ne s'attarde pas. Elles permettent de communiquer et de recevoir plus d'attention de la part des autres. Elles deviennent parfois permanentes ou se répètent régulièrement. La tournée des spécialistes n'apporte rien. Tous les examens sont désespérément normaux, toutes les investigations s'avèrent négatives. On reçoit alors, avec un certain mépris ou une suspicion de la part du corps médical, l'étiquette de « malade fonctionnel ». « On me dit que tout est normal, que je n'ai rien, mais je sais bien que je souffre. » Le modèle médical est mis en échec et la profession n'aime pas cela. Au mieux, on conseille d'aller consulter un psychiatre, ce à quoi le malade répond qu'il n'est pas « fou ». Le malentendu (au sens premier du terme) peut durer longtemps. Quand on n'est pas entendu, on développe des réactions d'agressivité et d'exaspération. C'est un cycle douloureux qui commence et qui favorise les positions sans nuance et diamétralement opposées entre malade et soignant.

Une autre situation, complexe, couvre le champ des *maladies dites « psychosomatiques »*. Le terme est mauvais, mais il est consacré par l'usage. Le corps s'exprime ici par des symptômes souvent bruyants et pénibles, qui ont une allure de maladie officielle. Dans certains cas, en dépit du caractère très pénible de l'affection, aucune lésion n'est décelable : intestin irritable (ou colite spasmodique), recto-colite hémorragique en sont des exemples douloureux. Dans d'autres, malgré des lésions, les facteurs psychologiques déclenchants (stress) sont évidents : ulcère gastro-duodénal, crise d'asthme, etc. Enfin, certaines affections dont la cause organique est bien identifiée peuvent être améliorées par des méthodes non médicamenteuses comme certaines formes d'hypertension artérielle. La relaxation, c'est-à-dire la maîtrise du corps, est capable d'agir de manière bénéfique sur ces dérèglements de la physiologie. Une aide psychologique sous la forme d'une vraie psychothérapie impliquant un travail personnel et approfondi du patient peut aussi être bénéfique dans des affections tout à fait « organiques ». Certains types d'épilepsie – surtout chez les sujets jeunes – peuvent en bénéficier. Mais ce qui a été très démonstratif, c'est la preuve de l'efficacité de l'aide psychologique dans le traitement du cancer du sein qui a été apportée par les travaux de l'équipe de Claude Jasmin à l'Institut Gustave Roussy à Paris. Personne ne peut aujourd'hui contester non plus la pernicieuse puissance du psychisme sur l'organisme. Lorsque la revendication et l'agressivité d'un être humain utilisent le corps pour s'exprimer, on entre dans le domaine pathologique de l'hypocondrie. La plainte est alors permanente, l'angoisse est importante, et l'échec du monde médical est total. C'est un patient qui souffre – authentiquement –, qui ne reçoit ni explicitation ni soulagement et qui met le médecin face à son impuissance. De rejet en rejet, de frustration en frustration, un système de pensée persécutif s'élabore qui constitue le monde de l'hypocondriaque. Sa seule chance est d'échapper à ceux qui se réfèrent exclusivement au modèle médical, tristement mis en échec dans ce cas et d'aborder, avec toutes les réticences que l'on imagine, les contestations et les disqualifications par le sujet et son entourage, le domaine du sens du symptôme. C'est un parcours d'obstacles pour le patient, une terrible épreuve pour le thérapeute mais la persévérance de l'un et de l'autre est alors couronnée de succès.

Dans cet univers de l'expression par le corps, le mot d'*hystérie* n'a pas encore été écrit. On ne peut cependant l'éluder plus longtemps. Nul n'a jamais prétendu donner une définition de l'hystérie. Ce terme concerne, à la fois, des comportements sociaux, des traits de caractère, une structure de personnalité et des manifestations corporelles diverses. C'est ce dernier point qui concerne le corps. Au-delà de l'acception péjorative du mot dans le langage courant, l'hystérie fait traditionnellement référence à des manifestations étranges, spectaculaires, réversibles et sans lésions organiques qui mettent en scène le corps. Cécité, mutisme, paralysies, contractures, mouvements anormaux caractérisent l'hystérie traditionnelle si bien décrite par Charcot. De survenue brutale, d'une durée variable – parfois très longue –, ces troubles connaissent des disparitions soudaines, favorisées par la suggestion. Si les formes bruyantes, qualifiées d'historiques, sont extrêmement rares de nos jours, des aspects mineurs grossissent le lot des malades dits « fonctionnels ». Elles illustrent pleinement le dialogue entre le corps et l'esprit ainsi que l'influence de la culture et de l'époque sur la forme d'expression de ce dialogue. L'hystérie « à la Charcot » n'ose plus se révéler dans sa flamboyance à l'ère du scanner et prend la forme larvée de somatisations tenaces, rebelles et acceptables par l'entourage. Il existe même aujourd'hui un transfert du corps vers une expression psychique pure sous la forme de certains troubles du sommeil, de certaines manifestations anxieuses ou dépressives.

## Les comportements exceptionnels

Le *délire* est l'exemple d'un comportement exceptionnel chez un être humain en dehors d'une étiquette psychiatrique. Cependant, chacun d'entre nous, dans des circonstances extrêmes, peut fabriquer un délire. Schématiquement, il existe deux circonstances : une action pharmacologique ou un grave dérèglement physiologique et un traumatisme psychique d'une grande violence. Dans le premier cas, les drogues dites hallucinogènes (LSD, mescaline) peuvent induire un délire hallucinatoire auditif et visuel. Des troubles graves de la physiologie de l'être humain ont les mêmes effets : fièvre très élevée (typhoïde), troubles métaboliques divers en sont les causes les plus fréquentes. Dans le deuxième cas, il s'agit d'une agression psychique brutale et considérable : catastrophes naturelles, accidents d'avion, événements de guerre, c'est-à-dire toute situation où les repères rassurants de l'existence basculent en un instant vers l'absurde ou l'horrible. Dans d'autres cultures, les hallucinations et le délire peuvent survenir avec une facilité beaucoup plus grande dans des situations de transe ou d'excitation collective. Dans tous les cas, ces délires le plus souvent hallucinatoires surviennent chez des gens dits « normaux » et s'avèrent en règle générale sans lendemains péjoratifs.

Les malades dits « délirants » fabriquent un délire sans circonstances apparentes déclenchantes et l'évolution de ce délire est souvent durable, sinon chronique. Il s'y ajoute dans les cas appelés schizophrénies un ensemble de comportements et de symptômes persistants entre les périodes de délire, qui contribue à l'incommunicabilité entre le sujet et les autres et lui confère une inquiétante étrangeté. Dans l'imaginaire de chacun, dans notre représentation du monde délirant et de sa logique incompréhensible, il devient impossible de se mettre « à la place de l'autre » : c'est cela qui caractérise notre vision de la folie. Un malade est appelé schizophrène non seulement parce qu'il lui arrive de délirer mais parce que la communication avec lui est perdue faute de valeurs communes, d'un partage du sens des mots, d'échanges affectifs et de sa capacité à mobiliser une énergie au service du quotidien. L'hallucination est déjà, en elle-même, un phénomène qui éloigne des autres. Entendre des sons ou des voix qui ne sont pas produits par une source extérieure, voir des images invisibles entraînent des comportements ayant sans doute leur logique interne, mais qui ne peuvent être compris, admis et partagés par personne.

La vie sans hallucination est déjà source de bien des quiproquos, de malentendus et d'incommunicabilité. Lorsque l'on se trouve dans deux mondes aux références sensorielles radicalement différentes, l'incompréhension mutuelle est totale. Le délire, on l'a déjà évoqué, et le monde intérieur du délirant ne se limitent pas qu'aux hallucinations. Dans certains cas, en dehors des épisodes délirants, il subsiste de graves troubles du comportement qui rendent la vie sociale difficile ou impossible et perturbent les relations avec l'entourage. Sans détailler les différents aspects de cet univers si disparate qu'on appelle les schizophrénies (au pluriel), on peut privilégier trois domaines. La discordance, la déréalisation et le déficit.

La discordance, c'est la rupture de phase avec l'entourage. Il n'y a jamais synchronisation de pensée, de comportement, de sentiments avec l'autre. Chacun évolue dans son monde, avec ses références qui, pour celles du délirant, sont jugées irrecevables. De surcroît, la discordance peut même être interne dans le sens qu'une désynchronisation existe chez le patient entre ses différents moyens de communication : la parole exprimée, la mimique, la gestuelle...

La déréalisation est l'expression d'idées ou de projets, de pensées ou de jugements qui ne sont pas en prise sur le réel. On ne peut donc pas suivre quelqu'un qui vous exprime des idées saugrenues et qui veut vous entraîner dans sa logique particulière.

Enfin, le déficit est l'incapacité à mobiliser volonté et énergie pour s'engager dans une tâche matérielle, même élémentaire, comme se lever, se laver, sortir, être autonome. Lorsque ces différents aspects de comportement sont réunis, on peut imaginer la difficulté à vivre de ces patients. On ne peut en revanche que difficilement imaginer la vie de leur entourage et de leur famille. Il faut un courage surhumain, une abnégation sans borne pour continuer à aider, à aimer en recevant si peu en retour.

## Et le reste ?

Ce survol de la description des principaux troubles psychiques n'a aucune prétention à l'exhaustivité. Certes, il existe de nombreux aspects de comportements jugés déviants, inacceptables, en un mot anormaux, qui ne seront même pas évoqués. Il existe des souffrances psychiques, en particulier chez l'enfant, dont la spécificité interdit un simple survol et nécessite pour être comprises, de longs développements qui n'ont pas leur place ici. En revanche, on peut mentionner un certain nombre de termes qui risquent d'être évoqués plus tard et qui justifient au moins qu'on s'y arrête brièvement.

Des fonctions physiologiques de base peuvent connaître des variations quantitatives en plus ou en moins. À partir de quel moment entre-t-on dans la pathologie ? Qui le décide ? L'intéressé ou son entourage ? Quels critères utiliser pour définir le normal, l'excessif, le pathologique ? Les questions sont multiples, bien souvent sans réponse susceptible de faire l'unanimité.

Ces variations quantitatives s'inscrivent toujours dans un contexte personnel et relationnel. Il y a la manière de les vivre et le regard des autres. Le conflit naît lorsqu'il n'y a pas d'accord entre ces points de vue. Le *sommeil* est une fonction dont les caractéristiques sont individuelles. Il existe cependant une norme sociale du sommeil qui finit par influer sur les opinions de chacun. Il est « normal » de s'endormir rapidement et de dormir huit heures par nuit. En fait, chacun a sa dynamique d'endormissement et ses besoins propres de sommeil. Il existe des « petits dormeurs » qui se satisfont parfaitement de cinq heures de sommeil par nuit et des « gros dormeurs » qui devraient pouvoir dormir dix heures de suite. La vie en société et la vie de couple n'autorisent pas le respect des rythmes individuels. N'ayant pas droit à la différence, on devient « anormal » et on va consulter son médecin. Les horaires de travail, les définitions de ce que doit être le sommeil normal transmises ou plutôt imposées dans la société et le partage du lit conjugal ne s'accordent pas avec les caractéristiques individuelles. La latence d'endormissement est variable d'un sujet à l'autre, elle peut s'allonger lorsque l'on est soucieux et la sensation de repos éprouvée au réveil est largement fonction de ce que l'on doit affronter dans la journée qui recommence. Faut-il pour autant conclure qu'on a des « troubles du sommeil » et commencer une consommation d'hypnotiques qui risque de se prolonger ?

Curieux troubles du sommeil qui souvent disparaissent pendant les périodes de vacances ! La France semble peuplée d'insomniaques si l'on en croit la consommation d'hypnotiques, qui pulvérise les records mondiaux. Certes, des perturbations authentiques du rythme veille-sommeil peuvent se rencontrer. Elles concernent les travailleurs postés et certaines professions qui imposent des bouleversements de la physiologie du sommeil (personnels navigants, militaires, etc.). En dehors de ces cas particuliers, ceux qui se plaignent de « troubles du sommeil » étonnent en général les spécialistes. Accueillis dans des « laboratoires du sommeil » où l'on enregistre les rythmes cérébraux de la veille et de l'endormissement, nulle modification qualitative ou quantitative n'est repérable. Le temps d'endormissement, la durée et la fréquence des réveils nocturnes, la durée totale du sommeil sont en règle « normaux ». Seule persiste au réveil la conviction de ne pas avoir dormi de la nuit. Les modifications objectives des tracés de sommeil ne sont constatées que lorsque les patients sont des consommateurs habituels d'hypnotiques.

Dès lors, où se situe la norme et où commence la pathologie ? Les « troubles du sommeil » seraient-ils exclusivement une mode, expression sociale d'une difficulté existentielle, ou la rançon inéluctable de la prise d'hypnotiques ? Quelle est la fréquence des troubles du sommeil dans les pays en voie de développement ? Pourtant, la plainte exprimée chez le médecin est extrêmement fréquente et la réponse quasi automatique est la prescription d'un hypnotique. Il faut être un grand médecin pour pouvoir ne pas prescrire...

Les préoccupations concernant *le poids* et *le comportement alimentaire* fournissent une abondante littérature dans la presse grand public. On ne fera pas allusion ici à ce qui concerne les facteurs de risque liés au diabète, à l'hypercholestérolémie authentique ou aux maladies cardio-vasculaires. Les questions se posent ici en d'autres termes. Qui est anorexique ? Qui est boulimique ? Qui est trop maigre ? Qui est trop gros ? La frontière entre le normal et le pathologique est souvent bien floue. A priori, il existe une entité appelée l'anorexie mentale et qui concerne principalement le sexe féminin. Un amaigrissement squelettique mettant la vie en danger du fait de répercussions biologiques graves, un comportement alimentaire très bizarre (vomissements provoqués), un arrêt des règles et une méconnaissance de la situation caractérisent l'anorexie mentale. C'est une situation bien particulière, que la médecine comprend très mal, et pour laquelle aucun thérapeute ne dispose de système explicatif ou de stratégie thérapeutique emportant la conviction de tous. Heureusement, ces situations inquiétantes sont rares. En revanche, la société intervient de manière péremptoire, avec l'appui de la médecine dans certains cas, pour décider de ce qui est bon à manger ou de ce qui est mauvais et de ce que doit être le « poids idéal » de chacun. On voit ainsi des malheureux, des femmes le plus souvent, chroniquement sous-alimentées, vivant de salades et d'eau fraîche qui luttent contre les kilos censés altérer leur beauté ou perturber leur santé. Parfois, hélas, des médecins se font les complices de ces martyrs de la société, distribuant des produits interdits ou dangereux : amphétamines, diurétiques, laxatifs, extraits thyroïdiens qui ruinent leur santé et les transforment en zombis filiformes. Le poids et la silhouette de chacun d'entre nous sont fixés depuis longtemps par notre patrimoine génétique. Lutter contre la nature n'est jamais une bonne chose. Mais la médecine, trop souvent, relayée par le discours de la société, fixe la « norme » idéale et bouleverse les physiologies individuelles.

À l'opposé de ces préoccupations se situe la question des comportements boulimiques. Pathologie nouvelle créée par la société ou entité somatique dont la cause demeure inconnue, la boulimie fait parler d'elle. Certes, il existe parfois de curieux comportements. Un sujet jeune, le plus souvent une femme, connaît des fringales irrépressibles, parfois nocturnes, centrées sur des aliments sucrés, vécues dans l'angoisse et la culpabilité. Prise de poids et obésité vraie en sont la rançon quand les vomissements volontaires ne font pas se succéder en accordéon les variations de la silhouette. Ces comportements nécessitant une aide médicale sont cependant rares en comparaison du très grand nombre de femmes et maintenant d'hommes qui « veillent à leur ligne », se restreignent et surtout se culpabilisent dès qu'ils se sont fait plaisir dans le domaine alimentaire. Où est le normal, où est le pathologique ? Suffit-il d'aller consulter un médecin pour être malade ? Ce qui devrait logiquement demeurer dans le domaine des différences

individuelles est trop souvent aligné sur une norme standardisée et obligatoire qui génère, à tort, culpabilité et
prescriptions médicales.

*La sexualité* est un domaine qui n'échappe pas à
l'intrusion médicale. Qu'est-ce que la norme en matière
de sexualité ? Personne ne songerait à l'édicter. Pourtant,
la collusion médecin-médias fournit abondamment et
régulièrement des statistiques, des descriptions, des
recommandations et des conseils. Comment se sentir
« normal » quand on vous explique, schéma à l'appui, ce
que *doit* être *votre* sexualité. La sexologie à défaut d'être
une activité professionnelle rigoureusement réglementée
accueille des détresses souvent fabriquées par la société.
La sexualité est un domaine strictement individuel et
concerne en général au maximum deux personnes. En
dehors des cas de pathologie organique avérée, le seul
critère à prendre en considération est la satisfaction
personnelle qui ne doit pas être étalonnée par rapport à
un illusoire standard universel de normalité.

« On regardera le crime comme une maladie, et cette
maladie aura ses médecins qui remplaceront nos juges,
ses hôpitaux qui remplaceront nos bagnes ! », écrivait
Victor Hugo dans *Les Misérables*. En dehors des domaines
qui viennent d'être évoqués, la psychiatrie récupère, parfois à son corps défendant, d'autres situations où la
pathologie mérite d'être discutée. Il existe de nombreux
comportements humains pénibles ou dérangeants pour les
autres. Quand doivent-ils être considérés comme appartenant au champ de la psychiatrie ? L'importance de la
perturbation causée à autrui est-elle un critère suffisant
pour définir une pathologie ? Il s'agit là d'un jugement
qui définit tout autant la tolérance d'un entourage que
la nature du comportement incriminé. La jalousie est un
exemple de cette situation. Un mari peut être un épou-

vantable jaloux, tyrannique, vérificateur et soupçonneux, mais il ne s'agira de pathologie que si l'épouse épuisée en parle à un tiers. Le paranoïaque persécuteur qui possède la vérité de manière exclusive, contredit sans cesse et se vit supérieur à tous n'entrera dans le champ de la pathologie que s'il n'est pas en situation de supériorité hiérarchique par rapport à son entourage. Le pervers sadique s'harmonisera « normalement » avec un partenaire masochiste.

Dans ces différents cas, le normal et le pathologique sont affaire de tolérance entre individus. C'est lorsque la société est gênée qu'elle délègue, le plus souvent à la psychiatrie, le soin de la protéger en déclarant pathologique ce qui est dérangeant. Certains individus ont des comportements caractérisés par une absence de censure sociale. Entreprenants, souvent séducteurs, ils agissent impulsivement et n'engrangent aucune expérience de leurs désastreuses entreprises. Intolérants aux frustrations, ils n'existent que dans le passage à l'acte. Sans scrupules, sans remords, souvent cyniques et vénaux, ils sèment les catastrophes, la ruine et le désordre. S'ils tombent entre les mains de la justice, on parlera d'escroquerie, de fraude, de filouterie. S'ils arrivent dans un circuit psychiatrique on utilisera les termes psychopathie ou déséquilibre psychique. Ces marginaux par rapport aux normes sociales seront donc, selon les circonstances, des délinquants ou des malades.

Il existe aussi une frange de déviants qui est rejetée vers la psychiatrie ou bien récupérée par elle. L'exemple actuel des pédophiles criminels est clair à ce sujet. Mal tolérés par la société, ils zigzaguent entre la criminalité et la pathologie. Leur conduite apparaît au plus grand nombre comme tellement monstrueuse qu'elle ne peut être qu'« anormale », synonyme de « folie ». L'ennui, c'est que leur comportement ne correspond à aucun diagnostic psychiatrique, leur structure de personnalité est en général semblable à celle de Monsieur Tout-le-Monde, et aucun « traitement » connu n'est capable de les transformer durablement et définitivement. Alors, folie ou criminalité ? C'est tellement tentant de demander à la psychiatrie de protéger la société et il ne manque pas de psychiatres prêts – parfois en toute inconscience – à accepter ce rôle impossible.

La « psychiatrisation » des perturbateurs de l'ordre social n'est qu'une solution de facilité que la psychiatrie devrait refuser. De dérives en dérives, on peut arriver à des situations monstrueuses. Tout dépend de ce qu'une société décide d'appeler « anormal » ou de ce qu'elle désigne comme déviance sociale. En ex-Union soviétique, les opposants politiques au régime recevaient un diagnostic de schizophrénie, un traitement neuroleptique et étaient internés dans des hôpitaux psychiatriques. L'ordre social était ainsi préservé et la psychiatrie avait joué son rôle de gardienne du système en obéissant aux ordres. Il faut certes comparer ce qui est comparable, mais c'est le processus qui mérite réflexion.

Les dépendances toxicomaniaques évoluent pour leur compte dans un climat de grande ambiguïté assaisonné d'une bonne dose d'hypocrisie. Les toxicomanies les plus fréquentes et les plus graves (compte tenu de leur fréquence) sont les dépendances au tabac et à l'alcool. Elles représentent respectivement la première et la seconde cause de mortalité en France comme aux États Unis. Les toxiques en cause sont en vente libre, fortement taxés par les pouvoirs publics et la vente du tabac est un monopole de l'État. Pour ces raisons, sans doute, les dépendances alcoolo-tabagiques ne sont jamais qualifiées de toxicomanies. On appelle donc toxicomanies les dépendances concernant les substances évoluant dans des circuits non contrôlés (stupéfiants, hallucinogènes). Les toxicomanes doivent-ils entrer dans le champ de la psychiatrie ? Rien n'est moins sûr. La majorité d'entre eux ne présentent pas d'affections mentales caractérisées, ne demandent rien aux psychiatres et ne sont accessibles à aucun des traitements traditionnels de la psychiatric. C'est d'ailleurs dans des structures non psychiatriques qu'ils ont le plus de chances de s'affranchir de leur dépendance. On ne saurait en effet considérer la distribution de méthadone en sirop autrement que comme un contrôle social du toxicomane par un stupéfiant officiel et gratuit. Son seul et immense mérite consiste à limiter le risque de la diffusion du SIDA par l'élimination des seringues.

Tous ces exemples montrent combien il est difficile de définir ce qui appartient à la psychiatrie, ce qui s'y retrouve par commodité ou par nécessité, ce qui est normal, pathologique ou simplement ce qui est socialement dérangeant. On ne saurait toutefois abandonner ce bref panorama des principaux cadres des troubles psychiques sans évoquer la question du *suicide*.

C'est un drame pour ceux qui restent et c'est une préoccupation sérieuse de santé publique. Si les tentatives de suicides sont tellement fréquentes qu'il est difficile de les évaluer avec précision, les suicides aboutis, même sous-estimés, représentent onze à douze mille décès en France, soit plus que les accidents de la route. Est-ce à dire que tout suicide ou toute tentative de suicide s'inscrivent obligatoirement dans un cadre psychiatrique ? Sûrement pas. Peu de choses ont changé depuis le travail sociologique d'Émile Durkheim en 1897. Il existe une spécificité des faits sociaux dont le suicide fait partie et dont les déterminismes sont extérieurs aux individus. On peut cependant repérer des « facteurs de risque ». Le plus important est sans conteste le désarroi existentiel et la solitude. Le veuvage, la séparation, le divorce, le célibat et l'isolement social et relationnel sont corrélés à l'augmentation des taux de suicide. Certaines pathologies constituent aussi des facteurs de risque. Il ne faut cependant pas établir une équation simpliste entre dépression et suicide. Si la mélancolie authentique implique souvent des idées de suicide et un risque réel de passage à l'acte, ce n'est pas vers la dépression authentique qu'il faut aller chercher la cause majeure des suicides ou des tentatives de suicide. Les schizophrénies, l'alcoolisme, les maladies organiques graves représentent les pathologies le plus souvent en cause dans les suicides aboutis. Les tentatives de suicide, extrêmement fréquentes, qui peuvent représenter jusqu'à 30 % des admissions en service d'urgence ne répondent en général pas à des pathologies psychiatriques caractérisées. La tentative de suicide est souvent un mode d'expression. C'est celui du désarroi, de la solitude, du découragement, de la perte d'espoir ou de la désillusion. Passage à l'acte désespéré dans le cadre d'un conflit relationnel (affectif, amoureux) ou d'un bilan d'existence sans avenir, la tentative de suicide est toujours un appel à l'aide, une demande d'écoute, de compassion et de solidarité. Enfin, il est des suicides – en général aboutis – qui sont le fruit d'une décision souvent longuement réfléchie et l'expression d'un choix quasi philosophique, seule liberté réelle de l'homme sur cette terre.

On voit que le domaine du suicide est loin d'être univoque. Résumer le suicide à la dépression et à la psychiatrie, c'est caricaturer la réalité. Pour autant, la détresse que traduit une tentative de suicide peut bénéficier dans tous les cas d'une aide psychologique.

Ce panorama des grands cadres des troubles psychiques permet de situer ce qui appartient au monde de la psychiatrie et ce que la société souhaite y faire entrer parce qu'il s'agit de comportements individuels inclassables et dérangeants. Si le démon de la classification habite les psychiatres depuis que les troubles psychiques sont entrés dans le giron de la médecine, les hypothèses sur les causes agitent les observateurs de ces troubles depuis encore plus longtemps. Ces spéculations ne sont pas anodines puisqu'elles servent à construire des systèmes de représentation, des théories et débouchent sur des pratiques. En médecine somatique, la situation est simple : on sait ou on ne sait pas. Les causes de la tuberculose, de l'infarctus du myocarde ou de la chorée de Huntington sont connues. Lorsque les causes ne sont pas connues, il existe deux attitudes. La première consiste à dire qu'on ne sait pas. On utilise de jolis mots cache-misère (cryptogénétique, atteinte essentielle, primitive, dégénérative) et on attend une réponse définitive de la biologie moléculaire. La deuxième attitude est plus nuancée. On possède « un faisceau de présomptions » pour penser que la cause d'une maladie est la somme de différents facteurs dont certains ne sont pas encore identifiés.

En psychiatrie, c'est différent : on sait ! Ou plutôt on prétend savoir ! Quelle que soit l'approche choisie pour envisager les causes des troubles psychiques et alors que personne n'a jamais rien démontré, on affirme ! On confond d'ailleurs la description et l'explication. Il existe trois approches des causes en pathologie psychiatrique et le propos n'est pas ici de les envisager en détail. Cependant, pour aborder les médicaments psychotropes, il sera nécessairement fait référence aux données de la neurobiologie et aux hypothèses qu'elle propose dans la genèse des troubles psychiques. Il semble donc utile d'évoquer même brièvement les autres théories psychiatriques portant sur les causes.

L'hypothèse neurobiologique ou somatique postule que le déterminisme de tous les troubles psychiques – on dit même maladies mentales – est lié à une anomalie de fonctionnement des cellules du cerveau. Des anomalies permanentes et durables seraient en cause dans les affections « chroniques ». Cette vision a pour mérite de chercher à objectiver le subjectif, de découvrir concrètement la preuve matérielle de la vie psychique. Rien n'a encore été démontré de manière indiscutable mais cette démarche possède une logique philosophique satisfaisant les esprits cartésiens. Elle se situe dans la droite ligne de la médecine expérimentale et de la méthode anatomo-clinique. En fait, elle a été beaucoup servie par l'arrivée des médicaments psychotropes, mais aussi et peut-être surtout par la réduction de tous les troubles psychiques à une collection de symptômes devenus la cible des médicaments. Un être humain qui souffre devient une addition de symptômes que l'on traite comme des objets physiques et qui se prêtent à la quantification et aux statistiques. Ces symptômes étant la cible de médicaments psychotropes qui agissent sur le cerveau, la cause des « maladies mentales » est donc cérébrale, et le tour est joué !

L'hypothèse psychogénétique des troubles psychiques est essentiellement alimentée par la théorie psychanalytique reposant sur les écrits de Freud. La psychanalyse postule que « l'appareil psychique » s'élabore et s'organise de manière structurée. Le langage, donc la culture, joue un grand rôle dans le fonctionnement psychique. Si la nosologie psychiatrique traditionnelle ne prend en compte que les symptômes, la clinique psychanalytique s'intéresse principalement au sens des symptômes et des relations. Les troubles psychiques auraient un sens, propre à chaque individu, même si les symptômes se ressemblent d'un sujet à l'autre, et ils tireraient leur origine d'un défaut d'élaboration du psychisme ou d'un conflit non résolu et profondément enfoui dans l'inconscient. Les techniques psychothérapiques inspirées de la psychanalyse consistent à découvrir le sens et à résoudre les conflits laissés en suspens.

La troisième et dernière hypothèse pourrait s'appeler contextuelle ou sociologique. Elle postule que le trouble psychique naît d'un divorce d'intérêt entre un sujet et l'entourage humain avec lequel il tisse des relations. Un des aspects les plus intéressants de cette approche concerne l'analyse des systèmes de communication entre les participants à un groupe humain : famille, couple, milieu professionnel, etc. Cette analyse montre la complexité des formes de communication et la création de situations impossibles à gérer aboutissant à l'apparition de symptômes qui sont une forme d'expression de l'échec de la communication. Mais l'important est que ces symptômes exprimés par un des membres du groupe humain considéré ont une fonction pour l'ensemble du groupe. Le « malade désigné » permet le maintien du groupe, même s'il se déchire. Lorsqu'il va mieux, c'est souvent au détriment d'un autre membre du groupe qui, à son tour, se décompense. L'antipsychiatrie avait étendu cette vision d'un conflit d'intérêt entre l'individu et le groupe à l'ensemble de la société. Elle faisait l'hypothèse que les troubles psychiques étaient provoqués par l'intolérance du plus grand nombre confronté à l'originalité ou à la différence de certains.

On ne peut résumer ainsi, sans les réduire et même les caricaturer, trois courants de pensée extrêmement riches. Malheureusement, ces courants de pensée sont parfois devenus des idéologies totalitaires et impérialistes s'excluant mutuellement. La pensée et la recherche n'ont rien à gagner à cultiver des dogmes. En fait, on le voit bien, chaque approche possède sa part de vérité et apporte une contribution originale à l'abord du fonctionnement humain. Une perturbation psychique s'exprime par des symptômes et ceux-ci ont un sens précis pour chaque individu et une fonction pour lui et pour les autres. Tenter de soulager la souffrance psychique, c'est repérer le symptôme qui exprime un dysfonctionnement, décrypter ce qu'il veut dire et préciser à quoi il sert.

Se cantonner à une seule de ces trois démarches, c'est passer à côté de l'essentiel et s'interdire d'être vraiment thérapeute. Il n'est pourtant pas facile de faire sienne, dans le quotidien, cette vision globale du psychisme humain. Il est plus facile de choisir et de s'en tenir à un seul des trois postulats évoqués. La clinique du symptôme et la psychopharmacologie rassurent, la psychanalyse séduit certains et l'analyse du contexte fait un peu peur à tous. Comment ? On possède des symptômes que les autres nous aident à acquérir et à entretenir ? Horreur ! Danger ! Qui est fou ? Le porteur de symptômes ou la société qui l'entoure ? La clinique du sens, elle, est séduisante. Rien ne donne plus l'impression d'être intelligent que de comprendre le sens caché des choses. De surcroît, personne ne vient vous contredire. La psychopharmacologie a joué un autre rôle. L'arrivée du médicament a permis de supprimer certains symptômes. Miracle ! C'était la perspective de la guérison des maladies mentales. Quarante ans plus tard, force est de constater qu'il n'en est rien. En supprimant les symptômes on découvre qu'il persiste une souffrance et une désorganisation de l'existence. De plus, les symptômes reviennent régulièrement quand ils ne sont traités que par des médicaments. Il reste autre chose à faire. Misère ! L'homme aurait-il donc une âme ?

*Chapitre 3*

# L'existentiel, le culturel et le pathologique

Il existe une continuité entre le comportement humain jugé normal et celui qui est tenu pour pathologique. Dès lors, comment et où fixer le passage du normal au pathologique ? Qui doit légitimement le faire : le sujet qui souffre, le médecin que l'on rencontre ou la société ? Le sujet qui souffre est parfois peu conscient de son état (délire). Le médecin (et de plus en plus le patient) est l'objet de pressions diverses qui visent à reconnaître de la pathologie là où elle n'existe peut-être pas, ce qui contribue à formidablement augmenter la consommation médicale. La société, c'est-à-dire le culturel, est dépendante du lieu et du moment, donc éminemment variable dans ses intérêts. C'est pourquoi il est important de connaître ce que sont les légitimes répercussions des difficultés existentielles sur le psychisme.

Un être humain fonctionne psychiquement et émotionnellement grâce aux variations de ses affects. Un registre étendu de sensations intérieures qui modulent nos comportements témoigne de nos expériences heureuses ou malheureuses, gratifiantes ou frustrantes. Les couleurs de la palette portent des noms : joie, tristesse, gaieté, bonheur, plaisir, tension anxieuse, insouciance, etc. Les mélanges sont subtils et le registre très étendu. L'état du moment est souvent le résultat de la somme algébrique des frustrations et des gratifications. Celles-ci dépendent de la nature des expériences vécues. Pour une même expérience décrite de manière objective, l'effet ressenti dépend du sujet, de son individualité, de son histoire, de son psychisme, de sa culture. C'est-à-dire que l'effet a un sens qui peut varier du tout au tout pour un même événement selon le sujet qui le vit. De nombreuses expériences existentielles produisent de la souffrance. Cela nourrit notre vie au même titre que la joie et le plaisir. La souffrance psychique liée à un événement vécu est maturante et structurante. Vouloir en faire systématiquement l'économie serait falsifier l'existence, abolir la liberté, promouvoir l'indifférence. Ces expériences pénibles s'appellent anxiété, dépression, douleur morale et elles n'ont rien à voir avec des épisodes pathologiques. Le deuil d'un être cher, le chagrin d'amour, le désespoir devant l'échec, la peur de l'avenir, la désillusion sont les conséquences légitimes des accidents de parcours de la vie.

Le pathologique, si imprécise que soit sa définition, c'est la durée, l'intensité exagérée ou l'absence de cause déclenchante apparente de phénomènes qui par essence sont de même nature que les difficultés existentielles. Mais à quelle échelle mesurera-t-on la durée d'un deuil ou l'intensité d'une peine ? Quant à l'absence de cause déclenchante apparente, il suffit d'être psychothérapeute pour découvrir que les causes déclenchantes non apparentes sont souvent les plus puissantes.

L'existentiel doit donc être préservé, respecté et une souffrance psychique n'est pas systématiquement un trouble psychique. Cela n'implique pas pour autant qu'une souffrance psychique ne mérite pas aide et attention.

La souffrance et le trouble psychiques sont à la fois une expérience ressentie et un comportement qui exprime un désarroi et un désaccord le plus souvent en rapport avec un conflit interpersonnel. Il est aisé de les confondre et pourtant les conséquences d'un diagnostic sont lourdes d'implications. Dès que l'on nomme en proposant une étiquette diagnostique, on fait exister une pathologie pour son propre compte. Ce fut le cas de l'homosexualité qui, heureusement, a été enfin retirée des manuels de psychiatrie. Ne plus nommer une vraie pathologie, ce n'est, en revanche, pas la faire disparaître. C'est le cas de l'hystérie qui, trop embarrassante en cette fin de XXᵉ siècle, a purement et simplement disparu des classifications. C'est une façon de parler car l'hystérie a été rebaptisée de manière subtile : on la retrouve dans les troubles de l'humeur, l'anxiété, les phobies et autres somatisations diverses. L'hystérie est bien trop nécessaire à la société pour disparaître parce qu'on cesse de la nommer.

Devant la difficulté à définir scientifiquement le pathologique, on a recours en psychiatrie à la magie des chiffres. On sait que les statistiques rassurent et habillent de manière convenable n'importe quelle banalité. Une corrélation statistiquement significative peut n'avoir aucun sens clinique ou même heurter le bon sens, mais elle confère une respectabilité et permet d'affirmer n'importe quoi. C'est ainsi qu'il existe une remarquable corrélation statistique à 0,99 entre la consommation de la bière à Chicago et la mortalité infantile à Tokyo. C'est mathématiquement indiscutable, mais cela n'établit aucune relation de cause à effet entre les deux évaluations. Seule la mesure de la température étouffante régnant dans les deux pays au moment des mesures permet de comprendre cette corrélation absurde. Cette démarche permet d'individualiser de « nouveaux » concepts cliniques, des « entités pathologiques » qui engendrent de nouveaux marchés pour la prescription.

Si 70 % de gens ont connu au moins une ou deux fois dans leur vie une crise aiguë d'angoisse, est-ce de la pathologie ? Le même constat s'applique aux épisodes dépressifs. Si 100 % de la population présente une fois au cours de l'existence une dépression de l'humeur, un épisode unique est-il « pathologique » ou entre-t-il dans le lot de ce que la vie nous réserve « normalement » ? Le pathologique en psychiatrie ne peut être opposé au normal – impossible à définir – comme son contraire ou comme une image en miroir. La souffrance doit être prise en considération en soi et par comparaison avec la non-souffrance. Elle possède son organisation propre, sa structure et sa genèse. Elle implique toujours l'autre de manière évidente ou cachée. La différence par rapport au groupe culturel suscite de la souffrance car elle entraîne intolérance et rejet. Un trouble psychique n'est donc pas une maladie autonome, une entité indépendante du sujet et des autres. C'est en fait toujours l'expression d'un dysfonctionnement propre à un être humain singulier et à son contexte. Ne pas respecter les conventions sociales, les censures et les tabous collectifs (le surmoi social ou culturel), même si cela ne met personne en danger et n'enfreint pas la loi, marginalise et conduit à une inadaptation qui est source de souffrance psychique. Au contraire, être adapté, c'est être conforme aux attentes du groupe. Certains sous-groupes culturels exigent même un hyperconformisme. L'illustration en est apportée par le spectacle qu'offrent de bon matin les passagers d'un avion sur une ligne intérieure. Mêmes costumes neutres, mêmes chaussures noires, mêmes journaux sous le bras, mêmes regards vides... Il n'y a que les odeurs des eaux de toilette qui diffèrent un peu. Heureusement, de temps en temps, au sein du troupeau d'hommes une silhouette de femme apparaît comme pour laisser croire que la vie vaut quand même la peine d'être vécue...

Il est peut-être plus facile maintenant de comprendre pourquoi le processus de guérison en psychiatrie est par nature complexe. L'intrication bio-psycho-sociale impose un discours à trois voix où l'opinion du médecin doit être avalisée par celle du patient et de son entourage.

Il faut, avant de conclure sur les rapports entre l'existentiel et le pathologique, souligner combien les données culturelles forment la trame de tout ce qui est psychique. Ne pas en tenir compte, c'est passer à côté de la réalité. Le symptôme comme vérité unique proposée par la science officielle n'est valable que lorsque patient et thérapeute partagent la même vérité culturelle. Nul besoin pour s'en convaincre d'aller chercher des exemples dans des contrées lointaines. La psychiatrie transculturelle commence dès que l'on change de système de référence. L'histoire suivante en témoigne.

« Une femme de trente ans, élevée dans le bocage normand et de niveau socio-culturel très modeste a développé des troubles importants et incompréhensibles du comportement. Phobies diverses, épisodes dépressifs et hallucinations visuelles vécues au sein de sa maison. Après différents traitements médicamenteux inefficaces, elle consulte à Paris. Considérée délirante, elle est hospitalisée dans un grand centre psychiatrique et traitée par des médicaments neuroleptiques anti-hallucinatoires. Les soins s'avérant sans effets, elle est renvoyée chez elle. Quelques années plus tard, en Normandie, un psychiatre local essaie simplement de l'écouter et découvre, une fois que la confiance s'est installée, une conviction inébranlable dans les effets d'un envoûtement. La croyance à la sorcellerie est inscrite dans la culture du bocage normand et elle n'a rien de délirant. Dès lors, le psychiatre, utilisant les concepts culturels de la patiente et le vocabulaire traditionnel, mettra en place les éléments d'un travail psychologique de désenvoûtement. La patiente a été totalement libérée de ses symptômes gênants et le résultat est acquis depuis plus de cinq ans. Dans d'autres circonstances, elle aurait pu être institutionnalisée à vie et traitée en continu par des doses massives de neuroleptiques.

Quand un psychiatre ne comprend pas ce qui se passe chez un patient, il doit toujours penser que c'est lui qui se trompe ou que quelque chose de fondamental lui échappe.

### DEUXIÈME PARTIE

# La résistible ascension
# des médicaments du cerveau

À l'échelle d'une vie humaine, nos sociétés industria-
lisées ont bénéficié du développement d'un puissant vec-
teur de santé : le médicament moderne. Agissant soit sur
les mécanismes à l'origine de la maladie soit plus souvent
sur les conséquences de celle-ci, il a transformé le pronostic des maladies infectieuses, l'avenir des hypertendus
ou la vie quotidienne des rhumatisants. On pourrait
allonger à loisir la liste des performances des grandes
classes thérapeutiques qui protègent notre existence. Un
consensus règne aujourd'hui en faveur des médicaments,
entre le consommateur, le prescripteur et la société lorsqu'on parle de diabète, d'asthme ou d'épilepsie... Le
médicament est un acquis non contesté et non contestable
de nos sociétés, et on considère que sa consommation
reflète le niveau de vie d'une population. On peut penser
que le « niveau de vie » se définit en termes de capacité
pour un individu à consommer des biens qu'il peut acheter.
Pour des raisons diverses, cependant, une automobile et
un antibiotique ne peuvent être placés sur le même plan.
    Dans un certain nombre de pays, la protection de la

santé est considérée comme un droit fondamental pour l'individu et un devoir pour l'État. Des systèmes divers de protection sociale se sont installés afin de rendre ce droit à la santé accessible au plus grand nombre. Selon ses options personnelles, on peut y voir la preuve de la vertu morale des États ou la nécessité qu'ils ont de garantir le fonctionnement de leurs outils de production. Une épidémie de grippe est avant tout une catastrophe économique.

Il y a quarante ans, un fait nouveau est cependant apparu avec l'arrivée des médicaments du cerveau ou psychotropes. Ces substances ont la propriété de modifier des symptômes psychiques qui font souffrir ceux qui les ressentent (anxiété, dépression) ou d'atténuer des comportements qui gênent surtout l'entourage et la société (agitation, excitation, délire).

Les psychotropes agissent biologiquement sur le cerveau et modifient les pensées jugées aberrantes par le plus grand nombre. Alors, médicaments du cerveau ou médicaments de l'esprit ? C'est un premier débat. Il n'est pas le seul, loin s'en faut. Si l'unanimité peut se faire à propos des antibiotiques ou des hypotenseurs, ce n'est pas le cas pour les psychotropes. Des partenaires multiples sont amenés à émettre des avis changeants et parfois contradictoires sur l'intérêt des psychotropes. Est-ce à dire qu'il existe tellement de positions à défendre ? Le traitement d'une septicémie ne mobilise pas autant de monde. Le psychotrope, lui, est souvent considéré différemment par le malade consommateur, le médecin prescripteur, le soignant non prescripteur, la famille témoin du traitement, la société dont les médias traduisent l'inconscient collectif, le fabricant qui vend et l'État qui rembourse les produits. Autant de points de vue qui méritent d'être pris en considération. Les idées fausses et les mensonges, les préjugés et les *a priori,* les faux espoirs et les vrais acquis coexistent en un kaléidoscope qui renvoie à la vraie dimension du psychotrope : au-delà de son but sanitaire, il joue un rôle aux facettes multiples dans notre société.

Ce sont ces implications qui ne sont pas strictement médicales et sont aujourd'hui problématiques qui seront abordées dans ce livre. Celui-ci ne se veut pas un « guide » qui couvrirait de manière exhaustive la centaine de médicaments commercialisés sous le label « psychotropes » et qui donnerait une description détaillée de leur usage, de leurs effets thérapeutiques et de leurs inconvénients. Il se propose plutôt d'envisager essentiellement les différentes visions que l'on peut avoir des psychotropes en général, même si, chemin faisant, il apparaît à l'évidence nécessaire de caractériser les grandes familles de ces médicaments et les entités psychiatriques qu'ils sont susceptibles d'améliorer. On exclura délibérément les médicaments du cerveau traitant les maladies neurologiques comme l'épilepsie, la maladie de Parkinson, ainsi que l'utilisation des psychotropes chez l'enfant, qui soulève d'autres questions. Les psychotropes seront entendus ici comme des médicaments qui agissent sur le cerveau pour modifier des comportements pathologiques et qui sont utilisés chez l'adulte souffrant de troubles psychiques.

Quarante ans après leur apparition, ce ne sont pas vraiment des médicaments comme les autres. S'interroger sur eux peut être un fil conducteur pour aborder certaines questions cruciales qui se posent à la société d'aujourd'hui, parce qu'ils renvoient aux grandes questions concernant la science, l'homme et la société. En cette fin de millénaire où, partout, les conflits et les difficultés existentielles perturbent la plus élémentaire tranquillité, le psychotrope, fruit de la Science, apparaît comme la solution lénifiante et ultime capable de créer des paradis plein la tête et d'être le recours pour améliorer la qualité de la vie.

Le médicament psychotrope n'est devenu ce qu'il est que parce qu'il est apparu à un moment opportun. Il est alors devenu le symbole de la science triomphante – celle qui explique l'irrationnel et qui guérit l'inguérissable. Une ère nouvelle a semblé s'ouvrir balayant l'obscurantisme de la psychiatrie. Celle-ci trouvait enfin ses lettres de noblesse. La folie devenait maladie, le cerveau livrait ses mystères, la psychanalyse était renvoyée au domaine des croyances et la médecine connaissait une avancée décisive. Le psychotrope symbolisait le triomphe du pragmatisme et du matérialisme sur les fumeuses élucubrations psychologiques et philosophiques qui tentaient de cerner l'homme.

Oui, mais pourquoi ? Parce que la société en avait besoin. Parce que le discours de la médecine se veut explicatif et scientifique alors que les zones d'ombre sont dérangeantes et font peur. Si les psychotropes se sont imposés au début des années cinquante, c'est parce que la Société avait besoin de ce concept. Les neuroleptiques ont permis de resocialiser certains schizophrènes. Toutefois, on peut gaver de neuroleptiques des schizophrènes coupés du monde, sans famille, sans ressources et sans espoir, ce n'est pas pour autant qu'ils évolueront nécessairement vers l'autonomie. De même, si la Rifampicine a été décisive pour endiguer la tuberculose, son effet serait resté faible sans les progrès de l'hygiène. C'est pourquoi, même en inondant de Rifampicine les enfants des banlieues de Rio, on ne les délivrerait pas pour autant de la tuberculose.

Les souffrances psychiques, et la plus étrange d'entre elles, la schizophrénie, étant devenues maladies qui peuvent être traitées par un médicament, la voie était tracée pour une nouvelle aventure. Dès lors, les tourments, les émois, les comportements de rupture, les réponses aux vicissitudes de l'existence, comme l'angoisse, l'insomnie, la dépression, ont accédé au rang de maladie et sont traitées par des médicaments, ce qui bien entendu protège la Société de toute contestation ou remise en cause dérangeante. Le pouvoir médical y trouve aussi son compte... ce qui n'est pas pour lui déplaire.

Il convient de distinguer le psychotrope, objet matériel doué d'une action pharmacologique sur le système nerveux central, et le « concept de psychotrope ». C'est ce dernier qui est le support d'une idéologie bien particulière. Derrière l'idée de psychotrope se cachent en fait plusieurs présupposés :

1. les comportements étranges et dérangeants relèvent de la folie ;
2. la folie se subdivise en tableaux cliniques qui portent des noms : ce sont des maladies ;
3. tout cela se passe dans le cerveau ;
4. les médicaments psychotropes agissent sur le cerveau et guérissent la folie : CQFD ;
5. tout inconfort, souffrance ou difficultés liés aux tumultes de l'existence porte un nom de maladie et possède ou possédera un jour un traitement chimique approprié.

Innocents objets techniques possédant d'irremplaçables propriétés thérapeutiques, les psychotropes sont devenus les supports d'une idéologie qui est une pure création sociale et médicale.

Avant les années cinquante, il n'existait pratiquement aucune substance chimique capable d'agir avec efficacité sur les grands syndromes psychiques qui isolaient certains sujets du monde et perturbaient leur entourage. Le laudanum (dérivé de l'opium), le sirop de chloral, les barbituriques résumaient à peu près la pharmacopée. Que faire devant un état d'agitation délirant, des hallucinations conduisant à des comportements agressifs, une prostration mélancolique, sinon enfermer ? Coupé de son entourage, expédié souvent loin de chez lui, cadenassé derrière de hauts murs, surveillé par des gardiens qui ne méritaient souvent pas le nom d'infirmiers, le malade résistait, protestait, se rebellait et donc aggravait son cas. Des « traitements » énergiques lui étaient alors proposés : douche froide, électrochoc, coma par l'insuline et surtout saucissonnage dans la fameuse camisole de force qui permettait aux « soignants » d'aller tranquillement vaquer à d'autres occupations. Abandonné, humilié et meurtri dans la solitude de sa cellule, entravé et relégué, le malheureux « aliéné » finissait par régresser pour venir grossir cette population de « déments » qui habitait alors les asiles et contribuait à accréditer la représentation terrorisante de la maladie mentale.

Et si, dès cette époque, on avait été humain ? Si on avait été capable d'écouter, de rassurer, de calmer, en prenant le temps nécessaire ? Si on avait offert une vraie présence, un cadre accueillant, le respect de la dignité de l'autre, y aurait-il eu autant de bruit et de fureur ou autant de résignation et de renoncement ? Les lettres poignantes de Camille Claudel, systématiquement laissées sans réponse par sa mère, humbles et pitoyables, permettent d'imaginer l'univers de ceux qui avaient eu la malchance de se laisser enfermer. Au lieu de mettre en cause le milieu et le système, il était tellement plus facile de stigmatiser ces sous-produits d'humanité que personne ne voulait plus considérer comme des êtres humains à part entière. Pensez donc, des fous.

C'est dans ce contexte asilaire, après-guerre, que deux

événements conjoints sont venus transformer en France la vie de ceux que l'on appelait les « malades mentaux ». Des psychiatres qui avaient connu les camps de concentration ont pris conscience que la vie de leurs patients était très proche de ce qu'ils avaient connu. Ils ont alors entrepris de transformer en profondeur les relations entre soignants et soignés. Cette humanisation a marqué le début de ce que l'on a appelé la « désinstitutionnalisation » des hôpitaux psychiatriques. C'est alors qu'en 1952, on a découvert qu'une molécule, la chlorpromazine, avait des effets sur l'agitation et les hallucinations. Le premier vrai médicament psychotrope était né : c'était un « neuroleptique » (qui abat les nerfs), le Largactil. Une telle substance permettait de calmer les agités, de ralentir les pensées emballées, de tarir les hallucinations. Les soignants n'avaient plus peur des malades et se mettaient à communiquer avec eux. L'action sur les symptômes perturbateurs permettait enfin le développement d'une relation soignante : la désinstitutionnalisation pouvait commencer.

Cette percée pharmacologique n'est pas restée isolée. D'une façon étonnante, toutes les grandes classes de médicaments psychotropes ont été inaugurées en moins de dix ans. En dix ans sont apparus successivement les neuroleptiques, qui ont des effets sur certains symptômes des malades délirants (agitation, excitation, hallucinations, certaines idées délirantes), les antidépresseurs, qui agissent sur l'humeur dépressive, les tranquillisants, qui apaisent la tension anxieuse et une catégorie particulière de médicaments, les thymorégulateurs ou régulateurs de l'humeur, qui ont une action préventive sur les rechutes de cette affection particulière, la psychose maniaco-dépressive. Après 1961, date de la commercialisation en France du Librium, un tranquillisant de la famille chimique des fameuses benzodiazépines, on ne trouvera plus d'autres familles de médicaments psychotropes.

Ce n'est pas faute de chercher. Voici plus de trente ans que des sommes considérables sont investies dans la recherche de « nouveaux » psychotropes, sans succès à ce jour. Certes, on le verra, quelques progrès ont été accomplis dans la tolérance de certains produits, parfois aussi au détriment de leur efficacité ; pour autant, aucune révolution thérapeutique n'est venue bouleverser le traitement médicamenteux des troubles psychiques depuis 1961. Deux raisons expliquent cette situation. D'une part, la recherche fondamentale a utilisé et utilise encore des « modèles » animaux totalement absurdes sauf pour retrouver sans fin les produits originaux qui ont servi à les définir. D'autre part, la méthodologie de recherche clinique, alignée sur celle des médicaments pour les affections somatiques, est inappropriée et les contraintes réglementaires et éthiques interdisent de se resituer dans les conditions qui ont permis les découvertes innovantes des années cinquante. Une telle situation stérilise donc la recherche. La substitution de modèles moléculaires (les récepteurs cérébraux) aux modèles animaux ne semble pas avoir amélioré la situation, sauf en ce qui concerne la diminution des effets secondaires. Faute de pouvoir réduire les troubles psychiques à des maladies autonomes possédant une cause cérébrale unique sur laquelle un médicament pourrait agir, il faudrait au moins établir une corrélation entre ces fameux récepteurs cérébraux et les comportements humains élémentaires qu'ils sont censés régir. On en est encore loin. En effet, plus on avance dans la recherche, plus on constate qu'un seul neurotransmetteur est impliqué dans de multiples comportements complexes et que, de surcroît, il n'est jamais seul à agir. Dans ces conditions, faute de changer de modèle, on risque de patauger encore longtemps...

*Chapitre 1*

# L'histoire de la découverte des psychotropes [1]

« Trouver d'abord, chercher après. »

J. COCTEAU

Au-delà des anecdotes, souvent connues du grand public, l'histoire de la découverte des médicaments psychotropes mérite réflexion car elle explique pourquoi ces découvertes ont été possibles et pourquoi elles ne le seraient plus aujourd'hui. En effet, ces découvertes ont été réalisées par des psychiatres cliniciens, qui étaient au contact des malades, et non par des chercheurs en laboratoire. Elles ne s'appuyaient le plus souvent sur aucune idée préconçue, sur aucune théorie scientifique cherchant à expliquer l'origine des troubles psychiques, mais sur la seule obser-

---

1. Ce livre n'est pas un manuel de thérapeutique mais une réflexion à propos des médicaments psychotropes. C'est pourquoi seuls les noms des chefs de file des classes thérapeutiques sont mentionnés. Aucune liste de médicaments n'est fournie, mais le lecteur pourra toujours se reporter à la notice contenue dans le conditionnement de son psychotrope préféré pour savoir dans quelle classe il se situe. Les indications, contre-indications et posologies ne sont pas abordées pour les mêmes raisons. Elles sont de la responsabilité du médecin prescripteur.

vation attentive de tous les effets cliniques des médicaments étudiés. On pratiquait l'essai systématique, « pour voir » l'effet de tout nouveau médicament sur tous les troubles psychiques. Aujourd'hui, une telle démarche ferait se dresser les cheveux sur la tête.

De nos jours en effet, ce sont les neurobiologistes qui ont l'initiative des découvertes. Ce sont eux qui formulent des hypothèses sur les causes d'une maladie et, une fois qu'ils ont mis au point une molécule expliquent aux cliniciens les effets qu'ils doivent constater. Enfin, on ne tolérerait pas que l'on essaie un « nouveau » médicament sans savoir précisément à l'avance l'effet qu'il produira et sans l'expliquer par écrit au patient sur un document qu'il doit signer. Dans ces conditions, on est condamné à seulement constater ce que l'on a décidé de voir et rien d'autre !

Dans les années cinquante ces contraintes n'existaient pas et l'on faisait des découvertes. De telles exigences sont pourtant nécessaires pour garantir la sécurité des patients. Mais à l'époque le cheminement des découvertes était complexe et la part du hasard bienvenu associé à la curiosité organisée des psychiatres et à un peu de chance était importante.

Le premier neuroleptique – et aussi le premier vrai médicament psychotrope – naquit, on l'a vu, en 1952. Il fut le résultat heureux du constat purement clinique, chez des opérés, des effets d'un produit bloquant la libération d'histamine. Henri Laborit, chirurgien militaire, avait remarqué que la chlorpromazine, destinée à limiter le « choc post-opératoire », plongeait les patients dans un état de douce quiétude et d'indifférence béate. Il eut l'idée de proposer ce produit en psychiatrie pour calmer les agités. Pierre Deniker et l'équipe de Jean Delay à l'hôpital Sainte-Anne à Paris essayèrent alors systématiquement la chlorpromazine et décrivirent ses principales propriétés sur l'agitation motrice, l'excitation psychique et les manifestations délirantes. Il fallut un certain nombre d'années pour que la communauté médicale admette les propriétés symptomatiques du « Largactil » et reconnaisse qu'il pouvait agir dans les formes sévères des psychoses. L'engouement fut immense et le Largactil, administré dans de très nombreuses pathologies avec des succès divers, fut finalement consacré chef de file des neuroleptiques.

C'est dans les années 1957-1958 qu'une grande famille de médicaments psychotropes, les antidépresseurs, fut introduite en médecine. Roland Kuhn, psychiatre suisse, s'était vu confier en expérimentation un analogue chimique du Largactil pour l'essayer chez des malades délirants. Devant l'insuccès du produit, l'imipramine, il décida de s'adresser à une autre catégorie de patients, des déprimés. Miracle, il obtint rapidement des guérisons. Le « Tofranil » devint le premier médicament antidépresseur de la série chimique des tricycliques. Une telle attitude est impensable aujourd'hui. Pour des raisons réglementaires, méthodologiques et éthiques, une substance essayée sans succès sur les délires est jetée au panier et ne peut en aucun cas être expérimentée dans une autre pathologie. En outre, les *a priori* neurobiologiques sur les causes des maladies mentales interdisent d'imaginer qu'une substance agissant sur le neurotransmetteur [1] supposé de la schizophrénie puisse avoir un effet quelconque sur la dépression, qui implique théoriquement un neurotransmetteur différent. Cela illustre en tout cas le fait qu'on ne fait pas de découverte avec des *a priori*.

Toujours en 1957-1958, un antidépresseur d'une tout

---

1. Substance chimique permettant la communication entre les cellules du cerveau.

autre famille chimique est découvert par Nathan Kline. Ce psychiatre a été alerté par des collègues chirurgiens qui soignent des malades atteints de tuberculose osseuse. Un antituberculeux qui leur est administré, l'iproniazide, a de curieuses propriétés psychotropes. Il stimule les patients et les rend euphoriques. Pourquoi ne pas essayer cet antibiotique chez des déprimés ? Aussitôt dit, aussitôt fait. Aujourd'hui, il faudrait cinq à six ans de lourdes tractations pour réaliser une telle reconversion d'indication thérapeutique. En 1957, c'est chose facile et les propriétés « stimulantes de l'énergie » de l'iproniazide sont mises à profit chez les déprimés. Cette molécule possède un mécanisme d'action bien particulier. Elle empêche l'action d'une enzyme, la monoamine oxydase, qui dégrade des amines stimulantes dont la noradrénaline. Cette inhibition de la monoamine oxydase (IMAO) permet l'accumulation de produits physiologiques bénéfiques pour les déprimés.

Toujours dans les années cinquante, la recherche de substances sédatives était très importante. L'avantage d'un sédatif, c'est qu'il calme les agités, les anxieux, les insomniaques. L'inconvénient, c'est qu'il risque de dépasser le but recherché et d'endormir purement et simplement le patient. On élimine ainsi lors des essais au laboratoire, chez l'animal, les molécules par trop soporifiques. Une série chimique a été testée aux Laboratoires Roche et aucune molécule ne trouve grâce aux yeux des chercheurs. On décide d'arrêter les études lorsqu'un chercheur, Reader, demande qu'on donne sa chance à la dernière molécule de la série. On teste ainsi le chlordiazépoxide qui, commercialisé sous le nom de Librium, inaugure la saga des benzodiazépines. Les tranquillisants ou anxiolytiques sont nés et le Valium suivra bientôt, ainsi que des centaines d'autres.

Les neuroleptiques, les antidépresseurs, les tranquillisants constituent les trois familles de médicaments psychotropes. Il faut leur ajouter une quatrième famille, les régulateurs de l'humeur (thymorégulateurs). Ils ont longtemps été représentés par une seule substance : le lithium. Le lithium est un ion (comme le sodium ou le potassium) présent normalement en petite quantité dans l'organisme. Administré sous forme de sel (carbonate, citrate, gluconate) et à des concentations élevées dans le sang, il possède une propriété majeure : il empêche – totalement ou en partie – les rechutes de dépression grave et d'excitation euphorique qui se succèdent dans l'affection appelée psychose maniaco-dépressive. C'est donc essentiellement un traitement préventif dont le mécanisme d'action après quarante-cinq ans d'utilisation demeure en grande partie inconnu. L'histoire de la découverte des propriétés du lithium n'est pas moins originale que celle des autres familles de psychotropes. Un Australien, John Cade, psychiatre, qui faisait des recherches chez l'animal sur les propriétés de l'acide urique, découvre que le solvant de l'acide urique qui contient du lithium ralentit les rats et les calme. Il vérifie que c'est bien le lithium seul qui produit cet effet et l'administre à des patients agités et euphoriques en proie à un état maniaque. En une semaine, ils se calment. Cade tente de faire connaître sa découverte, mais le lithium s'avère toxique et son utilisation tombe en désuétude, d'autant que les neuroleptiques ont fait leur apparition en 1952.

C'est beaucoup plus tard qu'une équipe danoise, animée par Mogens Schou, fait deux découvertes fondamentales. La première c'est que le lithium n'est dangereux que si l'on en absorbe trop. Des concentrations sanguines de 0,5 à 1 mmol/l sont efficaces et sans danger (d'où la nécessité d'une surveillance par dosage). La deuxième découverte, c'est que le lithium est non seulement un traitement curatif des états d'excitation maniaque mais que, surtout, il prévient les rechutes aussi bien dépressives que maniaques de la psychose maniaco-dépressive.

Longtemps, le lithium sera la seule substance connue à posséder ces propriétés. Plus récemment, il y a une vingtaine d'années, c'est au Japon que l'on a découvert par hasard qu'un médicament utilisé depuis longtemps dans certaines formes d'épilepsie et dans les névralgies faciales possède les mêmes propriétés. La carbamazépine ou Tegretol commence une nouvelle carrière...

C'est donc sur la base de l'empirisme, de la sagacité, du hasard, de la chance, de l'observation clinique obstinée et curieuse que la totalité des psychotropes ont été découverts. Quand la science a récupéré la direction des opérations, l'innovation s'est éteinte. On a mouliné à loisir la répétition inlassable des mêmes molécules, modifiant un détail de-ci de-là. Voilà plus de trente ans que cela dure...

Un médicament psychotrope n'est pas né médicament. On l'a baptisé ainsi. C'est au départ une substance le plus souvent issue de la synthèse chimique et qui possède des propriétés pharmacologiques (c'est-à-dire agissant sur l'organisme). Ces propriétés se répartissent en deux catégories : celles dont on pense qu'un malade en tirera bénéfice et celles qui sont toxiques. Un équilibre entre les deux est nécessaire qu'on appelle « l'index thérapeutique ». Il est clair que les propriétés supposées bénéfiques doivent l'emporter sur les propriétés potentiellement toxiques. L'index thérapeutique est élevé et inacceptable si les doses produisant les effets thérapeutiques sont trop proches de celles induisant les effets toxiques. Lorsque la substance est administrée à l'homme, elle produit des effets cliniques observables, éventuellement quantifiables (action sur la vigilance par exemple). Ces effets sont qualifiés de thérapeutiques lorsque le malade en tire un bénéfice. Ils sont appelés effets indésirables ou effets secondaires lorsqu'ils sont pénibles ou dangereux. Le rapport entre ces deux types d'effets est le rapport bénéfice-risque. Là encore les bénéfices doivent largement l'emporter sur les risques.

On l'a vu pour les troubles psychiques, les mots figent les situations et les idées. Il en est de même avec les médicaments psychotropes. Ils ont reçu des noms de baptême qui conditionnent largement la représentation que l'on s'en fait. On confond souvent les actions pharmacologiques et les symptômes qui sont visés avec une action sur la cause d'un trouble psychique.

On ne dit pas d'une benzodiazépine : « C'est une substance qui diminue la vigilance et qui abaisse le tonus musculaire. » On dit : « C'est un tranquillisant ou un anxiolytique. » Que se passe-t-il en fait ? Quand on est anxieux, on est en proie à des phénomènes élémentaires qui induisent la sensation désagréable que l'on appelle anxiété. Il s'agit d'une tension musculaire augmentée et d'une hypervigilance. Si un médicament peut abaisser la vigilance sans trop endormir et diminuer le tonus musculaire sans trop de relaxation, les phénomènes physiques pénibles qui accompagnent l'anxiété disparaissent. Dès lors, on dira que le produit est anxiolytique. N'est-ce pas un abus de langage ? Il n'existe aucun produit « anxiolytique » qui ne modifie pas la vigilance. C'est l'usage que l'on en fait qui détermine le nom d'un psychotrope et pas ses propriétés intrinsèques.

À l'oublier, on est conduit à aller plus loin. En effet, on en arrive à définir la pathologie par l'utilisation qui est faite d'un psychotrope. Une personne qui a des douleurs somatiques tenaces voit son état s'améliorer grâce à un traitement « antidépresseur ». On dit couramment, alors que l'humeur est strictement normale : « c'était une dépression masquée puisque un antidépresseur a agi... »

Les Américains n'ont pas hésité à baptiser « anti-psychotiques » les neuroleptiques parce qu'ils sont utilisés pour traiter certains symptômes des psychoses. À les entendre, on croirait que les neuroleptiques agissent sur le déterminisme d'une psychose alors que l'on en ignore tout. Les effets bénéfiques et les effets indésirables d'un médicament ne sont parfois pas différents dans leur nature mais simplement dans leur intensité. Celle-ci est souvent proportionnelle à la posologie, mais elle peut aussi être liée aux caractéristiques individuelles du patient. Le puissant état sédatif d'un neuroleptique va calmer le grand agité mais c'est le même effet sédatif qui, dépassant l'action recherchée, risque de le transformer en zombi trébuchant et somnolent. La posologie du neuroleptique qui laisse gaillard l'état maniaque l'assoupit totalement dès que l'épisode d'excitation s'est calmé.

## Chapitre 2

## Les neuroleptiques

Il existe en France trente neuroleptiques commercialisés. Si l'on se place dans des conditions de posologie équivalente, ils possèdent tous les propriétés du Largactil, excepté, pour certains d'entre eux, certains effets indésirables.

Il est d'usage de distinguer des familles chimiques différentes et de reconnaître à certains produits des caractéristiques plus ou moins marquées, sédatives ou au contraire stimulantes en cas d'inhibition motrice. C'est affaire de spécialistes et ne change pas grand-chose aux propriétés pharmacologiques de base. Tout dépend d'ailleurs largement des posologies utilisées qui selon les variations mettent en évidence des activités différentes. La chlorpromazine étant le premier neuroleptique (Largactil), on compare souvent les neuroleptiques entre eux en termes d'« équivalent posologique chlorpromazine ». Dès lors, les différences que certains ont cru voir ont tendance à s'effacer, du moins dans les traitements à long terme. C'est beaucoup moins vrai dans les traitements de courte durée (un mois) où des différences peuvent être mises à profit en thérapeutique.

Les neuroleptiques ralentissent la motricité, la rapidité d'idéation et créent un état d'indifférence psychique. Ils abaissent la vigilance et ont un effet sédatif. Certains ont une action sur les hallucinations auditives et visuelles et diminuent la véhémence des idées délirantes. D'autres, qu'on appelle « désinhibiteurs » et qui sont utilisés à faibles doses, stimulent les malades psychotiques ralentis et déficitaires.

Ces actions élémentaires dites « de base » sont mises à profit pour le traitement de certains troubles psychiques. Ces propriétés ne sont pas spécifiques et trouvent leur utilité quelle que soit la cause du trouble : un grand agité en tirera bénéfice quelles que soient les raisons de son agitation.

Les neuroleptiques servent donc de traitement seulement symptomatique et en aucun cas spécifique aux psychoses schizophréniques, même si celles-ci représentent, du fait de leur symptomatologie, une indication de choix.

Ces propriétés seront mises à profit dans tous les cadres pathologiques comprenant un état d'agitation motrice et/ou psychique, dans les délires surtout hallucinatoires, dans les cas d'excitation maniaque avec euphorie exubérante. Certains neuroleptiques, surtout à faible posologie, stimulent les déficits énergétiques et les comportements abouliques et ralentis, symptômes qui correspondent aux différentes formes de schizophrénie. Comme il s'agit d'états psychotiques aigus ou chroniques, c'est par commodité que l'on parle d'« effet antipsychotique » des neuroleptiques. L'état d'agitation d'une ivresse agressive sera tout

autant calmé bien qu'il ne s'agisse pas d'une schizophrénie.

Les neuroleptiques induisent un grand nombre d'effets
secondaires, du moins en théorie. En pratique, ils
demeurent limités en nombre et en intensité. Néanmoins,
il convient d'en informer les patients afin de discuter avec
eux des modifications de traitement susceptibles de diminuer ou d'éliminer les effets indésirables. Les médecins
connaissent bien certains effets rares et graves (syndrome
malin nécessitant un traitement en service spécialisé de
réanimation) et sont à même de les prévenir ou de les
traiter rapidement. En revanche, de nombreux effets
secondaires sont minorés par les soignants parce qu'ils
semblent négligeables eu égard aux bénéfices thérapeutiques. Il s'agit de l'arrêt des règles, de la prise de poids,
de la perte du désir sexuel. Ces perturbations peuvent
altérer gravement la vie des patients surtout lorsque l'on
se situe dans des perspectives de traitement à très long
terme. Si l'intérêt des neuroleptiques en cas de crise aiguë
ne se discute pas, le bénéfice thérapeutique apparaît plus
mince après plusieurs années de traitement. Dès lors, ce
sont les effets secondaires qui comptent. Il n'est pas
scientifiquement démontré que la poursuite d'un traitement neuroleptique au-delà de trois ans, et en l'absence
de rechute, apporte un réel bénéfice à un malade atteint
de schizophrénie. En revanche, on sait ce que représentent
en termes d'altération de la qualité de la vie les effets
secondaires déjà évoqués, sans compter deux autres risques
sérieux : les perturbations de la vigilance et l'apparition
de mouvements anormaux involontaires appelés dyskinésies tardives.

Les modifications de la vigilance avec somnolence,
ralentissement des idées et de l'activité motrice ne sont

plus acceptables une fois la crise résolue. S'ils représentent en fait les effets recherchés en cas d'agitation délirante, dès que l'accès est calmé, ils deviennent intolérables. Les posologies doivent donc être modifiées en conséquence, sinon on risque d'aller à l'encontre du but poursuivi et de couper pharmacologiquement le malade du monde en empêchant toute relation et toute activité. On entre alors dans la iatrogénie, c'est-à-dire la maladie provoquée par le médecin et le médicament. C'est une perspective toute théorique car il faut se convaincre qu'aucun soignant digne de ce nom ne fera courir un tel risque à un de ses patients. Ce risque peut être majoré par la confusion possible des symptômes de la schizophrénie avec ceux qui sont induits par les traitements neuroleptiques abusifs. Tel patient ralenti, sans initiative, indifférent, « paresseux », inaffectif, quasi mutique suggérera un diagnostic de schizophrénie déficitaire. Mais celui-ci ne peut être envisagé que si le patient n'a absorbé aucun neuroleptique depuis au moins trois mois, sinon le traitement peut à lui seul être responsable de la totalité de la symptomatologie.

L'autre risque sérieux est représenté par la survenue de mouvements anormaux involontaires souvent définitifs. Ces « dyskinésies tardives » semblent beaucoup plus fréquentes aux États-Unis qu'en France pour des raisons que l'on ignore et qui ne sont liées ni aux produits utilisés ni aux habitudes posologiques des prescripteurs. Aux États-Unis, la loi oblige d'ailleurs le médecin à faire signer par le patient une reconnaissance du risque et l'acceptation de poursuivre le traitement au bout de trois mois d'utilisation. En l'absence de ce document, certains patients ont gagné des procès retentissants.

Ces mouvements anormaux concernent essentiellement le visage : le malade tire la langue de manière saccadée et involontaire, il cligne des yeux, mâchonne et n'a pas conscience de ses mouvements. D'autres fois, ce sont les muscles du thorax qui sont touchés ou bien des « tics » divers des bras et même des jambes qui apparaissent. Ce risque, rare en France, impose cependant de n'utiliser les neuroleptiques que devant des symptômes ne comportant aucune autre possibilité de traitement.

Les neuroleptiques sont des médicaments irremplaçables qui ne méritent ni d'être disqualifiés ni d'être utilisés sans discernement. Il ne faut pas en attendre plus qu'ils ne peuvent donner. Ils ne remplacent ni l'écoute, ni la relation, ni le travail psychologique, ni les mesures de réinsertion sociale. Ils les favorisent et c'est considérable.

Un jour, un éminent psychiatre m'a dit par provocation : « J'en ai assez d'entendre les critiques des détracteurs des neuroleptiques. On devrait suspendre toutes les prescriptions pendant un mois et on verrait bien le résultat... » Oui, ce serait une intéressante expérience... Elle obligerait peut-être certains soignants à changer d'attitude, à donner plus de temps, plus d'explications, à parler aux familles. Mais, soyons justes, les neuroleptiques ont aussi changé le comportement des soignants. L'effet sédatif calmant les agités et les malades agressifs, les soignants ont moins peur et modifient leurs pratiques professionnelles. L'agité est moins souvent isolé, on lui parle ; la coopération du patient est possible, fondée sur sa confiance dans le groupe soignant. C'est donc un ensemble de facteurs qui contribue au résultat final et pas seulement l'effet pharmacologique qui l'a facilité. D'ailleurs, l'expérience d'arrêt des neuroleptiques a été tentée il y a de nombreuses années par S. Follin à l'hôpital Sainte-Anne à Paris. Les médicaments ont été remplacés à l'insu des infirmiers et des malades par des gélules identiques mais ne contenant pas de produit actif : du placebo. Rien n'a changé pendant plusieurs mois dans le service d'hospitalisation. Or les études avec la caméra à positons l'ont démontré, après arrêt d'un traitement neuroleptique, toute trace de médicament disparaît du cerveau en une quinzaine de jours.

Les neuroleptiques nc doivent donner lieu ni à de « mauvaises » images ni à une surévaluation de leurs propriétés. Ils ont des actions purement symptomatiques, sans aucune spécificité sur les causes des troubles psychiques, même si certains aspects de leur mécanisme d'action commencent à être connus. On saura peut-être un jour *comment* on devient agité ou même délirant ; on n'aura pas pour autant expliqué *pourquoi* on le devient. Enfin, la gravité de certains effets indésirables doit conduire à les utiliser dans des indications symptomatiques restreintes et pendant des périodes de temps limitées, sauf à démontrer le contraire chez certains patients.

*Chapitre 3*

# Les antidépresseurs

Le terme antidépresseurs parle de lui-même. Cela n'a rien à voir avec leurs propriétés pharmacologiques qui, pour certaines, peuvent être mises à profit dans d'autres indications (douleur, migraine, incontinence urinaire, etc.). C'est pourquoi sous le label « antidépresseurs » on trouve une grande hétérogénéité de molécules dont on attend au moins qu'elles soient capables de corriger l'humeur profondément et durablement triste des vrais déprimés.

Il existe en France vingt-huit antidépresseurs commercialisés (en 1992). Quinze dérivent de l'imipramine, produit de référence historiquement et pharmacologiquement, trois sont des IMAO, l'un est une association avec un anxiolytique et neuf constituent un groupe hétérogène. Tous possèdent donc en principe, puisque leur efficacité a été avalisée par le ministère de la Santé, la capacité de restaurer une humeur normale chez un déprimé. Ils présentent une grande différence avec les neuroleptiques et les tranquillisants. Pour ces deux catégories de médicaments, on obtient les effets attendus pratiquement dans

100 % des cas. L'effet sédatif est obtenu aussi bien chez le malade agité, l'anxieux que chez le sujet sain qui prendrait ces traitements. En revanche, les antidépresseurs (excepté peut-être les IMAO et certains produits stimulants) ne modifient pas une humeur normale, et ils ne sont efficaces, du moins statistiquement, que dans 60 à 70 % des cas. Ces données sont issues d'études réalisées lors des essais thérapeutiques. Il n'en va pas de même dans la pratique quotidienne. Certains thérapeutes obtiennent régulièrement pratiquement 100 % de bons résultats, d'autres connaissent des scores bas, des rechutes, des récidives, des résistances. Toutes choses étant égales par ailleurs (posologie correcte et adaptée, concentrations adéquates dans le sang), etc., les variations ne peuvent s'expliquer exclusivement par les mystères de la pharmacologie et de la biochimie cérébrale. La personnalité du déprimé et celle du thérapeute comptent au moins autant. Le monde de la dépression est d'une extraordinaire diversité psychologique, contextuelle, en un mot individuelle. Constituer pour les essais thérapeutiques des groupes prétendument « homogènes » de déprimés est une hérésie et une méconnaissance des réalités de terrain. On mélange au nom de la méthodologie des essais, des carottes et des lapins. Bien évidemment, si le seul critère retenu est l'humeur triste à un moment donné, cela concerne beaucoup de monde ! La dépression n'est donc pas une entité homogène et les déprimés forment le plus souvent une collection de cas particuliers. La deuxième question concerne le thérapeute. Il y a celui qui garde le malade un quart d'heure dans son cabinet et lui délivre automatiquement une ordonnance. Il y a aussi celui qui, grâce au temps passé à écouter, à l'empathie, analyse une situation complexe et communique vraiment avec son patient en lui expliquant la place précise du médicament

dans une aide psychologique plus globale. Un monde sépare ces deux attitudes et explique sans doute les données des statistiques.

Le volume de consommation des antidépresseurs est colossal en France. Le marché, on en verra les raisons plus loin, croît régulièrement depuis de nombreuses années. Autrefois prescrits presque exclusivement par les spécialistes, les antidépresseurs sont devenus un des médicaments les plus prescrits par les médecins généralistes. Les tranches d'âge recevant ces traitements se sont également modifiées. Les antidépresseurs ne sont plus l'apanage des âges moyens de la vie, les personnes de plus de soixante ans sont de fortes consommatrices et il existe une tendance à l'utilisation chez les sujets très jeunes.

Dans le lot des vingt-neuf antidépresseurs auxquels on demande de normaliser l'humeur des malades authentiquement déprimés, l'hétérogénéité est importante ; elle s'explique par la diversité des propriétés pharmacologiques.

Les sites de fixation des antidépresseurs dans l'organisme sont multiples. Ils se fixent sur des récepteurs des membranes cellulaires qui conditionnent des activités chimiques essentielles pour de nombreuses fonctions de l'organisme. On comprend ainsi le mécanisme de certains effets indésirables, d'effets qui peuvent être mis à profit dans d'autres cadres que la dépression et on présume que les effets thérapeutiques obéissent aussi à ce schéma bien qu'on ne puisse pas en préciser les modalités. On pense que la fixation dans le cerveau est déterminante pour l'effet antidépresseur. En fait, les antidépresseurs se concentrent beaucoup plus dans d'autres organes que le cerveau et, curieusement, pour certains d'entre eux, dans les poumons. Il est peu probable que ce soit cette fixation qui soit en cause dans l'effet antidépresseur. En revanche, on connaît une substance qui se fixe sur certains récepteurs du cœur et des bronches qui ne pénètre pas dans le cerveau et qui est pourtant un excellent traitement rapidement efficace de l'angoisse engendrée par le trac.

Les antidépresseurs, selon les cas, interfèrent pratiquement avec tous les neurotransmetteurs connus dans le cerveau ou dans le reste de l'organisme. Les interactions avec des neurotransmetteurs comme la noradrénaline et la sérotonine semblent liées aux propriétés antidépressives, celles avec la dopamine et l'histamine aux propriétés stimulantes et sédatives, celles avec l'acétylcholine sont responsables d'effets secondaires indésirables. Les interactions avec les neurotransmetteurs en dehors du cerveau (vaisseaux, intestin, vessie, etc.) produisent des effets secondaires parfois gênants. Administrés à un homme sain les antidépresseurs ne génèrent que des effets secondaires et selon les produits une discrète excitation ou une somnolence.

L'effet thérapeutique recherché est clair : c'est la normalisation de l'humeur d'un déprimé. Cependant, la variété des propriétés pharmacologiques des antidépresseurs amène à exploiter, selon les cas, une activité psychostimulante ou une activité sédative. Le déprimé amorphe et ralenti ou au contraire le déprimé anxieux et agité en bénéficient. Cela dit, l'ubiquité d'action biochimique de ces molécules explique que leur nom ne recouvre pas toutes leurs possibilités. Ils peuvent être prescrits dans les douleurs chroniques, la migraine, et pour certains auraient pu l'être dans l'ulcère gastrique. Ils sont utilisés dans les manifestations obsessionnelles, la boulimie, l'anorexie. Ils demeurent le meilleur traitement médicamenteux préventif des crises aiguës d'angoisse récidivantes. Enfin, ce qui est effet secondaire gênant pour les déprimés devient effet thérapeutique chez les incontinents urinaires grâce au blocage des récepteurs cholinergiques de la vessie.

La spécificité d'action de ce que l'on appelle les anti-dépresseurs n'existe donc pas, même si l'on attend de tous le même effet principal.

Les effets secondaires des anti-dépresseurs sont théoriquement aussi nombreux que leur action est diverse. En pratique, à condition de bien associer le patient à son traitement, de lui expliquer ce qui peut arriver, les raisons biologiques des effets secondaires, comment les éviter, les minimiser ou les supprimer, l'incidence sur le traitement est faible quel que soit l'antidépresseur. Tel imipraminique donnera plutôt la bouche un peu sèche et tel bloqueur de la sérotonine plutôt des troubles digestifs. C'est surtout chez les personnes âgées que la tolérance doit être très surveillée et les posologies bien adaptées. Dans les conditions habituelles d'un traitement bien adapté de manière individuelle et bien surveillé, les effets indésirables peuvent être considérés comme négligeables.

Les antidépresseurs sont capables de normaliser l'humeur d'un malade déprimé. On ne sait pas ce qu'est réellement leur mécanisme d'action mais on connaît les raisons biochimiques de leurs effets secondaires. Ils sont actifs dans toutes les formes de dépression authentique : épisode dépressif isolé dans l'existence, maladie maniaco-dépressive, épisode survenant au cours d'une maladie organique grave ou au cours d'une schizophrénie. Mais il est des cas où de trop beaux résultats débouchent en fait sur une série de rechutes ou de résistance au

traitement. C'est en général dû à des erreurs d'indications. La prescription trop large d'antidépresseurs peut
conduire à traiter des patients certes très tristes mais
qui « miment » en toute bonne foi la dépression parce
que c'est une forme de plainte socialement admise
aujourd'hui. Certains ont des structures de personnalité
très influençables, très dépendantes des autres et des
événements. Un conflit relationnel engendre un tableau
de pseudo-dépression qui guérit spectaculairement en
quelques jours mais de manière transitoire. Alors
commence la longue série de ce que l'on nommera
rechutes, puis récidives. Les traitements seront renforcés,
prolongés, changés et rien n'y fera parce que l'on sera
complètement passé à côté de la réalité. D'autres ont
une organisation névrotique complexe de la personnalité,
souvent avec des plaintes somatiques tenaces. La partie
émergée de l'iceberg ressemble à une dépression, alors
on traitera par un antidépresseur. On parlera au bout
de quelques années de dépression résistante, puis de
dépression chronique. Mais voilà, il ne s'agissait pas
d'une dépression... C'est aussi pourquoi les résultats des
traitements antidépresseurs peuvent varier selon les thérapeutes de 50 % à 100 % de guérison. Il s'agit de ne
prescrire les antidépresseurs qu'aux malades qui en ont
réellement besoin.

Enfin, un antidépresseur à lui seul ne guérira jamais
un déprimé. Il faut aussi que s'instaure une relation
soignante dans laquelle le médicament est un élément
nécessaire mais pas suffisant. Un travail psychologique d'accompagnement est indispensable, parfois poursuivi dans certains cas précis, une fois l'humeur rétablie
par une psychothérapie. Il faut aussi que l'entourage
soit aidé pour comprendre et admettre ce qui se passe.
Dans le cas de la dépression, la guérison obéit de

manière flagrante à la triple nécessité d'une parfaite concordance entre l'avis du médecin, celui du malade et celui de son entourage. Au « vous êtes guéri » doit correspondre un « je me sens guéri » et un « il est guéri »...

*Chapitre 4*

# Les tranquillisants et les hypnotiques

Tranquillisants (ou anxiolytiques), hypnotiques (ou somnifères) méritent d'être abordés ensemble car les questions qu'ils posent sont identiques et les médicaments utilisés sont souvent les mêmes.

La France bat le record du monde de consommation de tranquillisants. Cette notion a été largement diffusée par la presse grand public et personne ne peut plus l'ignorer. Pourquoi ?

Tout d'abord, le choix offert dans notre pays en matière de tranquillisants est assez vaste. Le Vidal 92 (qui est le répertoire des médicaments commercialisés) note à la rubrique « sédatifs » vingt et un produits contenant des barbituriques, six substances bromées, trente-cinq « autres sédatifs » et dix-sept oligo-éléments. Les hypnotiques regroupent huit benzodiazépines, six dérivés de la phénothiazine (un neuroleptique), sept barbituriques, quatre « divers » et deux « autres ». Soit vingt-sept produits pour dormir. Les anxiolytiques comprennent quinze benzodiazépines, trois formes de méprobamate et cinq « autres ». On imagine l'embarras des médecins pour choisir et l'imagination de l'industrie pharmaceutique pour différencier des produits qui sont souvent identiques. Rien ne ressemble plus à une benzodiazépine qu'une autre benzodiazépine, même quand elle arrive déguisée sur le marché.

À ce très grand nombre de médicaments répond une très grande variété de substances chimiques. Cependant, une classe émerge, celle des benzodiazépines. C'est la plus consommée, la plus homogène, la plus discutée, et comme notre propos n'est pas de présenter une revue des mérites comparés des produits mais une réflexion à propos des tranquillisants, c'est celle qui sera privilégiée.

Les propriétés pharmaco-comportementales de base :

Les benzodiazépines représentent une classe de médicaments extrêmement homogène où tous les produits à condition d'être prescrits à équivalence posologique possèdent les mêmes propriétés. Ces substances ont une action sédative sur la vigilance, elles induisent une relaxation du tonus musculaire, elles sont anticonvulsivantes et diminuent les comportements agressifs ou l'inhibition comportementale induits chez les animaux par la peur ou la douleur.

Ces propriétés sont mises à profit pour le traitement à condition que l'effet attendu (sédation) ne dépasse pas l'objectif. Mais les benzodiazépines possèdent aussi des propriétés qui peuvent être gênantes et qui constituent une forme d'effets indésirables. Elles peuvent provoquer une amnésie des faits récents, leurs effets sédatifs sont augmentés par l'absorption d'alcool et elles peuvent donner lieu à des comportements de dépendance. Cette dépendance, raison des informations transmises par la presse grand public, se manifeste par l'impossibilité pour le malade d'arrêter le traitement, par la tendance à augmenter les posologies et par un comportement d'automédication. Ce risque est suffisamment faible pour que les autorités sanitaires n'aient pris d'autre mesure restrictive que de recommander aux médecins de limiter la durée des traitements.

Si les propriétés de toutes les benzodiazépines sont identiques, elles n'apparaissent pas toutes en même temps pour la même posologie. Par exemple, on choisit comme anti-épileptique une benzodiazépine qui, aux doses efficaces sur les convulsions, n'entraîne pas d'effets sédatifs. Telle autre, excellent tranquillisant, serait aussi anti-épileptique mais à des posologies qui feraient dormir le malade toute la journée. Les benzodiazépines sont plus ou moins rapidement éliminées de l'organisme, ce qui conditionne le choix d'une benzodiazépine à élimination rapide comme hypnotique et d'une benzodiazépine à élimination lente plutôt comme tranquillisant.

Cette classe de psychotrope est une de celles dont le mécanisme d'action a été le plus étudié. C'est en renforçant la transmission d'un neurotransmetteur, le GABA, que les benzodiazépines exercent leurs différentes activités.

Le but est d'apaiser l'anxiété et ses manifestations physiques et psychiques. À ce titre, les benzodiazépines sont remarquablement efficaces. Bien entendu, seule l'anxiété dite pathologique est à prendre en considération. Il peut s'agir de l'anxiété réactionnelle à un choc émotionnel important, après un accident, de l'anxiété vécue au cours de maladies graves, de l'anxiété permanente généralisée, qui inhibe toute action. En fait, il existe de très nombreuses situations au cours desquelles l'angoisse perturbe l'existence et doit être soulagée. Les propriétés très diverses des benzodiazépines expliquent aussi leur intérêt dans les contractures musculaires et même le tétanos, pour relâcher la tétanisation des muscles, dans la prévention du delirium tremens, cette complication de l'alcoolisme, et dans la prémédication avant une anesthésie. Et l'action hypnotique des benzodiazépines ? Toute la question est là ! Ces substances possèdent indiscutablement un effet sédatif, c'est-à-dire qu'elles altèrent la vigilance. L'action anxiolytique est-elle une action spécifique, indépendante de l'effet sédatif ? C'est à prouver. Aucun anxiolytique n'est dépourvu d'effet sédatif. Quant à l'action hypnotique, ne s'agit-il pas tout simplement d'un effet sédatif sur la vigilance au moment où, allongé dans le noir, la vigilance ne demande qu'à s'affaiblir chez chacun d'entre nous ? Dissocier comme s'ils étaient de nature différente effet anxiolytique, effet sédatif et effet hypnogène serait une jolie performance. Alors que, selon les posologies et les circonstances, ces trois effets ne sont que les trois degrés d'un même processus. D'ailleurs, la diminution de la vigilance n'est-elle pas la rançon, l'effet secondaire, de toute surcharge posologique d'une benzodiazépine. Il ne faut pas bouder son bonheur. Si une substance qui diminue progressivement la vigilance apaise l'anxiété, favorise l'endormissement et aide les anesthésistes à faire leur travail, on ne peut que s'en réjouir. L'inconvénient, c'est quand cet effet sédatif intervient lorsque l'on n'en a pas besoin. Au volant par exemple, ou après deux verres de vin, ou quand on utilise une scie circulaire. L'inconvénient, c'est aussi d'être tellement bien lorsque l'on est entre deux eaux et que plus rien ne peut vous atteindre, ni les remarques du chef, ni les récriminations du conjoint que l'on finit par ne plus vouloir s'en passer. Quand le conjoint hausse le ton, ou que le chef exagère vraiment, on peut aussi avoir envie d'augmenter un peu les doses, juste comme ça, pour être bien, pour ne plus penser à rien... Heureusement, les médecins ne prescrivent ces médicaments qu'à ceux qui en ont vraiment besoin.

Pendant très longtemps, du moins en France, il a été d'usage de dire que les benzodiazépines n'avaient aucun effet indésirable en dehors d'un risque de somnolence qui dépendait de la posologie. Au fil des années, les informations sur la réalité des risques se sont accumulées et des campagnes d'information ont été menées auprès du grand public, en particulier aux États-Unis et en Grande-Bretagne. En France, les efforts opiniâtres des pouvoirs publics, aidés souvent par les médias, ont permis, en dépit de très fortes résistances, d'imposer une officialisation des effets indésirables et d'édicter des mises en garde. En dépit de cette notification qui figure dans le dictionnaire des médicaments que possède tout médecin, l'influence sur la prescription et donc la consommation semble faible.

Pourtant, ce document officiel donne à réfléchir. Le risque de dépendance (on n'a pas osé parler de toxicomanie, c'est réservé aux produits non légaux) est clairement décrit ainsi que le syndrome de sevrage qui peut survenir à l'arrêt brutal du traitement. Cet état est analogue à celui qui se produit lors de l'interruption de tout toxique (alcool, opiacés).

Actuellement, la totalité des effets indésirables est connue et détaillée.

L'amnésie des faits récents, se mesurant en heures, semble indépendante de l'effet anxiolytique.

Le patient âgé mettra ce phénomène sur le compte de son âge et ne le rapportera pas à sa cause réelle.

L'insomniaque ne se souviendra pas de ce qui a précédé son endormissement comme c'est aussi le cas après une forte absorption d'alcool.

Enfin, certains patients ont souhaité voir dégager leur

responsabilité dans des actes délictueux commis sous benzodiazépines au cours de périodes dont ils ne gardaient aucun souvenir.

Les modifications de la vigilance liées à l'effet sédatif sont proportionnelles à la posologie et à la susceptibilité individuelle. Tous les stades sont possibles, de l'effet anxiolytique au coma en passant par l'état ébrieux et la confusion mentale. Cela dit, les comas dus aux benzodiazépines sont de bon pronostic lorsqu'elles ne sont pas associées à d'autres toxiques. Les benzodiazépines sont les produits les plus utilisés dans les tentatives de suicide.

L'effet de relaxation musculaire peut aussi dépasser l'objectif et donner lieu à des sensations de fatigue chronique ou même des faiblesses des membres inférieurs. On a aussi décrit des effets dits « paradoxaux ». Les benzodiazépines apaisent habituellement l'agressivité, qui s'accommode mal des propriétés sédatives de ces molécules. Dans certains cas, en revanche, des comportements hostiles et agressifs, voire délictueux, peuvent survenir. Il s'agit peut-être d'une perte des inhibitions habituelles et des censures sociales comme l'alcool peut en réaliser au cours des ivresses coléreuses et agressives.

Il faut cependant insister sur la rareté de ces phénomènes aux posologies thérapeutiques habituelles. Tout médicament, lorsqu'on dépasse les doses, suscite des effets indésirables et parfois mortels. Admettre la réalité des inconvénients possibles des benzodiazépines n'implique pas de les amplifier ou d'oublier leurs effets bénéfiques. Dans la pratique quotidienne, ce qui est le plus à craindre, c'est la modification de la vigilance et donc des performances. Il faut que l'état créé chez le patient soit compatible avec une vie active comportant souvent des tâches à risque : conduite de véhicule, gestes professionnels délicats, etc. Il est certain que l'allongement du temps de réaction, le relâchement musculaire, l'amnésie des faits récents ne facilitent pas les performances, surtout si l'on a bu un peu d'alcool comme cela arrive parfois en France. La responsabilité des benzodiazépines dans les accidents de la route et les accidents du travail est une question qui demeure sans réponse faute d'études approfondies dans le domaine. Pour les benzodiazépines utilisées comme hypnotiques, la question est identique et concerne les effets rémanents au cours de la journée qui peuvent altérer les performances professionnelles et le fonctionnement intellectuel.

Les benzodiazépines utilisées comme tranquillisants ou comme hypnotiques demeurent des médicaments irremplaçables. À condition d'être utilisées strictement comme médicaments, dans une indication précise, et pas comme « drogue sociale » servant à gommer les difficultés de l'existence. Leurs inconvénients réels, révélés seulement depuis peu de temps en France, impliquent un comportement très strict des médecins, seuls susceptibles d'initier, de surveiller et surtout d'arrêter un traitement.

Les benzodiazépines possèdent toutes les propriétés de l'alcool. Cette image permet d'en comprendre l'usage. L'alcool à faible dose est anxiolytique et améliore les performances. Dès que l'on dépasse une concentration sanguine, qui est très individuelle, la détérioration des performances et l'altération de la vigilance augmentent. De l'anxiolyse au coma en passant par l'ivresse, parfois agressive, et la confusion mentale, alcool et benzodiazépines se rejoignent. Dépendance toxicomaniaque, syndrome de sevrage (on appelle cela delirium tremens lorsqu'il s'agit de l'alcool), amnésie des faits récents se retrouvent pour les deux produits. Bien évidemment, le danger que représentent leurs effets conjugués exclut toute association. De même, l'association de benzodiazépine est un non-sens. Prendre une benzodiazépine le jour comme tranquillisant et une autre le soir comme hypnotique est une absurdité pharmacologique qui augmente les risques, en particulier de dépendance.

Il découle de cette réalité des principes stricts de prescription qui sont recommandés aux médecins par les pouvoirs publics. Ils peuvent se résumer ainsi :

– ne prescrire des benzodiazépines que lorsque le tableau pathologique est avéré et pas en cas de simples « états d'âme » ;

– limiter la durée de prescriptions à quelques semaines pour l'action tranquillisante. Un à trois mois maximum en utilisant cette période pour diminuer très progressivement les doses avant l'arrêt ;

– de quelques jours à quelques semaines en cas d'insomnie avérée. Deux à cinq jours ne font pas courir de risque. Au-delà, la diminution doit aussi être progressive ;

– l'idéal est de pouvoir expliquer tout cela au patient en début de traitement et de conclure un vrai contrat moral limitant la durée de la prescription.

Les ordonnances pérennisées depuis des années devraient amener de nombreuses interrogations en particulier sur le sens d'un tel comportement. Mais, on le verra plus loin, il s'agit peut-être d'un fait de société et plus du tout d'un acte médical.

## Chapitre 5

# Les régulateurs de l'humeur

Cette classe de psychotropes s'est longtemps résumée à une substance naturelle, qui n'est pas issue d'une synthèse chimique : le lithium. Elle comprend aujourd'hui un produit supplémentaire, la carbamazépine (Tegretol). Enfin, un troisième médicament, le valpromide (Depamide), serait peut-être capable de stabiliser l'humeur des maniaco-dépressifs. Il faut s'entendre sur ce qu'on appelle les « régulateurs de l'humeur ». Ils ne concernent pas nos fluctuations habituelles de l'humeur — gaieté, tristesse — et pas non plus les épisodes dépressifs authentiques qui peuvent émailler la vie de certaines personnes. Leurs propriétés s'exercent exclusivement sur l'humeur de patients atteints de « psychose maniaco-dépressive », terme obsolète et peu approprié, pour désigner 1 % de la population souffrant d'accès d'excitation euphorique (état maniaque) ou d'épisodes de dépression mélancolique, alternant souvent selon une fréquence et un rythme très variables. Les régulateurs de l'humeur sont capables de traiter (moins efficacement et moins rapidement que les neuroleptiques) les états maniaques, n'ont aucune efficacité sur les épisodes mélancoliques, mais sont les seuls susceptibles d'avoir un effet préventif sur les rechutes. Ce sont ces traitements préventifs qui permettent aujourd'hui à des centaines de milliers d'individus en France de mener une vie normale et adaptée professionnellement.

S'il existe peu de formes de présentation du lithium (deux seulement), c'est parce qu'il s'agit d'une substance naturelle très bon marché et non protégeable par brevet. Il faut donc rendre hommage aux laboratoires pharmaceutiques qui les commercialisent d'avoir, avant tout, privilégié l'intérêt des malades.

Il n'est pas possible, pour cette classe de psychotropes, de traiter séparément les propriétés pharmacologiques et les effets thérapeutiques en essayant de les relier. Le métal lithium et la carbamazépine n'ont vraiment rien à voir en termes de structure chimique, d'effets provoqués chez l'animal de laboratoire et même d'action cellulaire en particulier sur les neurotransmetteurs. .

Qui plus est, on peut clairement dire qu'on ne sait rien de précis du mécanisme d'action de ces régulateurs de l'humeur. Ils ont d'ailleurs donné lieu à beaucoup moins de travaux que les autres classes de psychotropes. On pense que le lithium module la transmission des informations à l'intérieur des cellules.

La carbamazépine possède vraisemblablement un autre mode d'action, qui n'est pas encore élucidé mais qui aboutit pourtant aux mêmes résultats thérapeutiques.

On le voit, les effets comportementaux obtenus par une action sur le cerveau n'impliquent ni une spécificité ni la nécessité d'un lieu identique de la modification initiale. Par des voies détournées, on aboutit à des résultats voisins.

Les deux types de médicaments régulateurs de l'humeur possèdent au moins quelques points communs. Ils sont toxiques si leur concentration sanguine n'est pas soigneusement surveillée et si les modalités d'instauration du traitement et de sa surveillance ne sont pas rigoureusement respectées. On a mis en évidence de longues listes d'effets secondaires possibles, mais en pratique les deux traitements sont très bien supportés. Le lithium peut être responsable d'une prise de poids, de tremblements et de l'apparition d'un diabète insipide avec augmentation de la consommation de boissons et de la diurèse. La carbamazépine, en début de traitement, peut montrer des signes de toxicité pour le foie et les cellules sanguines. Un dépistage systématique évitera tout incident et conduira à changer de traitement. En fait, les traitements régulateurs de l'humeur nécessitent pour leur instauration et leur surveillance une étroite collaboration et des échanges nombreux entre le médecin et le patient. C'est peut-être pour cette raison que les inconvénients sont presque toujours minimes lorsqu'il en survient, ce qui est finalement très rare.

Ces traitements régulateurs de l'humeur sont peut-être la vraie révolution thérapeutique (avec les neuroleptiques) pour les personnes souffrant de troubles psychiques. La vie de ces patients avant et après les traitements actuels a été radicalement transformée. Comme il s'agit le plus souvent de personnes strictement normales entre les rechutes (les intervalles variant entre quelques mois à plusieurs années), la prise en charge est réduite à l'absorption quotidienne du médicament et à une surveillance par prise de sang de loin en loin.

La suppression ou la minimisation des rechutes permet un traitement dans l'anonymat, au prix de contraintes

extrêmement minimes, et laisse le sujet en pleine possession de tous ses moyens, capable d'assumer toutes les
responsabilités. Autrefois la répétition, la durée et la
gravité des rechutes interdisaient ou altéraient gravement
la vie sociale. On peut dire que les régulateurs de l'humeur
sont les psychotropes qui ont le plus radicalement transformé une affection psychique autrefois redoutable.

Il est intéressant de remarquer que ce bouleversement
thérapeutique est dû à une découverte fortuite réalisée
en 1949, que la substance de référence est un métal qui
se trouve normalement dans l'organisme, et que quarante-
cinq ans plus tard la science ne peut toujours rien expliquer de son mécanisme d'action.

Comme objets techniques, les psychotropes possèdent
des effets qui peuvent être bénéfiques, d'autres qui sont
nocifs. La compétence du médecin consiste à peser ces
deux aspects dans l'intérêt du patient. Mais ils jouissent
d'un autre statut que celui d'objets techniques : ils donnent
à penser. Ils sont les supports de représentations concernant le cerveau, l'esprit, la maladie mentale, la réalité de
la psychiatrie, le pouvoir de la science et de la médecine.
En outre, les médicaments psychotropes sont aussi des
produits industriels dont la commercialisation est compli-
quée par une logique réglementaire et économique
complexe. Pour toutes ces raisons, ce ne sont pas des
médicaments comme les autres. Ils sont, par-delà leurs
caractéristiques intrinsèques, devenus ce que la société en
a fait. En retour, ils agissent sur chacun de nous. Il reste
à voir aujourd'hui ce que chacun en pense. Objets techniques, on peut facilement les cerner.

La question de la consommation exagérée de certains
psychotropes, de l'autoprescription et de la dépendance
doit renvoyer comme pour toute autre substance produi-

sant des effets identiques à deux questions : le produit et
le consommateur. Il n'existe pas de surconsommation de
neuroleptiques. Un produit qui donne lieu à une surconsommation possède forcément des caractéristiques intrinsèques particulières. Continuer la consommation d'un
médicament purement symptomatique après la disparition
des symptômes, c'est rechercher quelque chose de plus
touchant la modification du comportement et apportant
des sensations qu'on ne souhaite pas voir disparaître.
L'automédication, c'est la rencontre d'un médicament et
d'un consommateur particulier. Le tabac et l'alcool ne
donnent pas lieu systématiquement à surconsommation
chez n'importe qui. C'est cette rencontre qui est importante à comprendre.

# TROISIÈME PARTIE

# Idéologie scientifique et psychisme

« La Science » est entendue ici comme l'ensemble des disciplines scientifiques, biologiques ou cliniques, qui s'intéressent aux troubles psychiques et aux médicaments psychotropes. L'essentiel de ces diverses branches est souvent regroupé sous le terme général de « neurosciences » auxquelles il faut ajouter la psychiatrie biologique et la psychopharmacologie clinique (étude des médicaments psychotropes chez l'homme).

Il est clair que cet ensemble s'intègre parfaitement au sein de la Science, qui regroupe toutes les disciplines scientifiques, et qu'il existe une homogénéité du discours de la Science dans notre société.

Les savants sont essentiellement des techniciens qui font avancer les connaissances. Chaque scientifique maîtrise, en principe, un champ de recherche qui définit sa compétence. Au-delà, sa compétence n'est plus valable. Certes, il existe des scientifiques aux compétences variées, capables d'embrasser différents domaines de la pensée. Ils sont inévitablement peu nombreux. Or, depuis plusieurs dizaines d'années, le statut des scientifiques semble avoir changé. Grâce à la médiatisation, ils sont devenus des notables, qui expriment en toute chose une pensée que l'on respecte comme on respecte le fait scientifique. Il n'est de domaine qui échappe à leurs vues pénétrantes et avisées. On ne différencie plus l'ambassadeur d'une compétence technique et l'opinion du simple citoyen. C'est la Science qui s'exprime et elle a par définition toujours raison. Les *a priori* d'un scientifique s'appellent au mieux une hypothèse quand il ne s'agit pas d'une vérité. Ses affirmations, même gratuites, ont valeur de démonstration. La Science a supplanté Dieu, il n'est que justice qu'elle domine le monde. Le scientifique – je parle des notables, des vedettes, pas de ceux qui passent anonymement dix heures par jour dans leurs laboratoires –, le scientifique donc, est un fabricant de vérité, et il est le ministre de la Science. Le scientifique est donc le conseiller du politique, du décideur, de l'industriel... son avis est sollicité sur toute affaire, petite ou grande, qui concerne l'homme.

La Science est devenue l'idéologie dominante de notre société. Elle a progressivement évacué en les ridiculisant toutes les valeurs spirituelles. La philosophie fait sourire et la religion fait rire. La Science arbitre, impose et ne connaît aucune autocensure. On disait autrefois « Science sans conscience n'est que ruine de l'âme », mais l'âme n'existe plus... car la biologie moléculaire ne l'a pas trouvée.

Le sentiment de toute-puissance de la Science l'empêche de saisir les rapports pervers qu'elle a avec la société. La société pervertit toujours la Science. Si la Science invente la physique nucléaire, la société lui demande la bombe à neutrons. Il faut lire et méditer la terrible lettre d'Einstein au président Roosevelt lui expliquant qu'il fait partie d'un petit groupe de scientifiques susceptibles de lui fournir l'arme absolue et le suppliant de lui donner les moyens de fabriquer la bombe atomique !

La Science ne refuse jamais rien à la société qui la nourrit par ses crédits et la déifie pour l'asservir. Ce sont certaines « avancées » technologiques qui détruisent notre planète et c'est la Science qui est en voie d'asservir l'homme. Les comités d'éthique, composés de beaucoup trop de scientifiques, n'y changeront rien. Bergson disait que « l'humanité gît écrasée par les progrès qu'elle a faits ». Il ajoutait : « Notre siècle croit trop aisément que les inventions mécaniques, par la seule accumulation de leurs effets matériels, suffiront à élever le niveau moral et à faire le bonheur du genre humain. » Hélas, Bergson est mort et il n'y a plus de philosophes ! Les scientifiques les ont remplacés et la Science va assurer le bonheur de l'homme... Notre propos ne concernera que les rapports de la science avec la psychiatrie et les psychotropes, même s'il peut facilement être étendu à d'autres domaines. La science par exemple invente les antibiotiques. Ensuite, la société, qui en fait une utilisation totalement anarchique et abusive, crée les infections à germes résistants, celles qui envahissent les hôpitaux et les crèches, les allergies diverses, etc. Le poids considérable de l'idéologie scientifique et de ses affirmations péremptoires explique le statut actuel des troubles psychiques dans notre société et les conséquences sur l'individu du « concept de psychotrope ».

*Chapitre 1*

# L'idéologie scientifique

> « Il est un phénomène spécifique à la société moderne, c'est que la science fabrique de l'idéologie, c'est même son principal déchet, et comme tous les déchets de la société industrielle, de loin plus encombrants que les richesses produites. La science devrait respecter sa fonction essentielle qui est de fabriquer de la pensée et non de gérer les relations entre les personnes. »
>
> Tobie Nathan,
> *Fier de n'avoir ni pays, ni amis,*
> *quelle sottise c'était.*

On distingue en général la vérité révélée, qui nécessite la foi et qui n'a pas besoin de preuve, et la vérité scientifique qui repose sur la démonstration de l'expérimentation. C'est cette différence qui, dans notre société, fait accorder plus de crédit à la seconde qu'à la première. Mais la réalité n'est pas si simple. La Science n'est plus aujourd'hui constituée exclusivement par le corpus des découvertes scientifiques confirmées. C'est aussi, et parfois, surtout dans le domaine qui nous occupe, le résultat d'un discours à propos de la science. Le rôle de l'idéologie – qui change selon les trois M de Nietzsche (le moment, le milieu et la mode) – est le facteur déterminant de la représentation que l'on peut avoir des avancées annoncées de la science. On retrouve alors la foi. Je crois, ou je ne crois pas, ce que la Science me prédit. Par exemple : « Les maladies mentales sont d'origine génétique et l'on est sur le point d'en découvrir la cause. »

Un jour, il y a une découverte. Elle n'était ni prévue ni attendue et, jointe à d'autres, elle refaçonnera petit à petit l'idéologie de la Science. Le hasard – préparé dit-on – aura joué un grand rôle alors que les découvertes programmées et souvent annoncées prématurément avec fracas ne verront jamais le jour. Cela devrait rendre les scientifiques très modestes. C'est la Science officielle, académique, reconnue qui prévoit l'avenir et décide des valeurs, et c'est le chercheur inconnu, parfois à son corps défendant, qui découvre ce qui n'était pas prévu. La route alors est souvent difficile pour lui... jusqu'à ce qu'il devienne parfois un savant officiel, académique, reconnu qui ne trouvera plus rien.

L'idéologie scientifique n'est pas science. C'est une doctrine, c'est-à-dire le contraire de la science. Charles Nicolle disait : « Le savant doit savoir que rien d'acquis n'est stable [...] L'école de l'invention est école d'irrespect. » L'idéologie scientifique, qui est un dévoiement des faits et une falsification de la réalité, est particulièrement dangereuse quand elle s'applique aux troubles psychiques parce qu'ils concernent ce qu'il y a de plus spécifique à l'homme : sa vie psychique. Au-delà de la psychiatrie qui paye déjà un lourd tribut à cette idéologie, c'est la grande tentation de réduire la morale à la Science et l'éthique à la biologie. Le risque de l'idéologie scientifique comme valeur de substitution aux valeurs spirituelles, morales et religieuses, c'est la confusion des genres.

La Science inspire respect et confiance par les avancées concrètes qu'elle permet. Dès lors, son idéologie acquiert une crédibilité, non par sa pertinence et sa force de conviction, mais parce qu'on l'assimile avec ses résultats matériels. L'idéologie, dans ce cas, est une escroquerie intellectuelle. On croit acheter des vérités scientifiques démontrées et on vous vend des *a priori* ou des croyances.

Le premier élément du dogme consiste à affirmer l'analogie entre troubles psychiques et maladies somatiques, c'est-à-dire l'analogie entre modèle médical et démarche psychiatrique. Cette contre-vérité a été longuement expliquée dans la première partie de ce livre. Elle définit pourtant le décor d'une manière implacable et donne alors crédit au concept de « maladie mentale », alors que même les plus sectaires des manuels de critères diagnostiques y ont renoncé. Cela ouvre la porte à tous les raisonnements analogiques et à toutes les assimilations par comparaison. Les symptômes conduisent à un diagnostic qui précède un traitement médicamenteux agissant forcément sur la cause de la maladie...

Le discours neurologique qui s'applique avec une réelle pertinence aux maladies du système nerveux devient la référence jumelle du discours de la science sur la psychiatrie. Il faut un organe, ce sera le cerveau ; il faudrait des lésions, on les trouvera bien un jour... Ce discours exclut donc, par son existence même, toute autre approche et toute autre perspective, psychique, culturelle, sociale, contextuelle...

Pourtant, tout oppose le modèle médical à la réalité de la souffrance psychique. La maladie somatique, c'est une pathologie d'organe ou de système, avec des lésions, des signes objectifs quantifiables et une rupture par rapport à une norme.

La souffrance psychique n'implique aucun organe ou système (du moins d'une manière formellement démontrée à ce jour) ; aucune lésion n'a jamais pu être mise en évidence, il n'existe aucun signe objectif et la distinction entre le normal et le pathologique reste floue et variable. Dans ces conditions, il faut une bonne dose d'impudence pour envisager les troubles psychiques d'après le modèle médical.

Cependant, c'est la version de la Science officielle et elle triomphe lorsqu'un événement scientifique vient renforcer son credo. C'est ainsi que Egas Moniz, neuropsychiatre portugais, a reçu le prix Nobel de médecine en 1949 pour ses travaux de psychochirurgie. Il avait eu l'idée, en 1935, de faire pratiquer la première section chirurgicale de fibres nerveuses dans le cerveau de malades mentaux. Pendant vingt ans, on taillera allégrement dans le cerveau d'innombrables patients que l'on transformaient souvent en plantes vertes. Certes, ils ne faisaient plus peur... On est heureux de penser que le prix Nobel de médecine a récompensé une découverte aussi décisive dans le traitement des troubles psychiques.

Une autre habitude de l'idéologie scientifique, c'est d'habiller les découvertes et les faits d'une version officielle qui ne blesse jamais la Science. L'idéologie scientifique exerce le terrorisme intellectuel de son discours selon des mécanismes facilement repérables. Ils ont pour noms : l'analogie, l'amalgame, l'à-peu-près, la croyance, la tautologie, l'abus de langage, le vocabulaire inadéquat, le glissement des formes verbales, l'affirmation péremptoire, etc. Cela contribue à créer un environnement de pensée qui comporte sa structure interne, sa logique, ses repères et interdit toute critique ou même tout désir de réflexion épistémologique. Certains milieux psychanalytiques ne fonctionnent pas différemment et se sont embourbés dans un repliement mégalomane et autosatisfait. On a vu les dangers de l'analogie entre modèle médical et modèle psychiatrique avec les conséquences qui en découlent. L'amalgame consiste à mélanger ce qui est démontré et ce qui est hypothétique, ce qui est vrai et ce qui est possible. Prenons au hasard : « L'origine biochimique de nombreux désordres neuropsychiatriques est actuellement démontrée comme pour l'épilepsie, la maladie de Parkinson et la dépression. » Non ! On n'a pas le droit de parler de maladies « neuropsychiatriques ». Il existe d'une part les maladies neurologiques qui correspondent à des lésions du système nerveux comme certaines épilepsies et la maladie de Parkinson et d'autre part les troubles psychiques comme la dépression ou plutôt les nombreuses formes de dépressions pour lesquelles aucune lésion biochimique n'a jamais été démontrée chez l'homme. Ou encore : « L'association entre le gène du récepteur $D_2$ et l'alcoolisme familial ouvre des perspectives sur la génétique des maladies mentales... » Non ! L'alcoolisme chronique n'est pas un trouble psychique, c'est une dépendance toxicomaniaque. De surcroît, cette information, qui avait permis à la presse de titrer « Le gène de l'alcoolisme enfin découvert », n'a pas été confirmée, ce que la presse n'a pas mentionné. On ne contredit pas la Science.

D'autres exemples ? « Les dépressions, les démences et l'anxiété sont associées à des anomalies fonctionnelles des neurones sérotoninergiques. » Faux ! Les démences, peut-être, mais les dépressions et l'anxiété n'ont rien à voir avec les démences. « Sont associées » deviendra bientôt « comportent des anomalies fonctionnelles des neurones sérotoninergiques ». De surcroît, aucune étude des neurones sérotoninergiques n'a été réalisée chez le déprimé ou l'anxieux. Ces informations sont tirées d'études réalisées chez l'animal au moyen d'antidépresseurs et d'anxiolytiques, ce qui autorise, apparamment, à extrapoler à une entité clinique chez l'homme. On oublie de préciser ce « détail », il va de soi, mais c'est quand même un mensonge par omission. Ce mensonge par omission est d'ailleurs systématique lorsqu'on projette les « bouleversantes avancées des neurosciences » sur des pathologies psychiatriques en omettant de dire à chaque fois qu'aucune étude n'a été réalisée chez l'homme et que l'on fait toujours allusion à des mécanismes cellulaires ou moléculaires élémentaires se produisant chez des invertébrés ou des rongeurs et qu'il est hardi de les relier sans plus de précautions aux troubles psychiques chez l'homme.

Ainsi, les articles scientifiques qui parlent de troubles psychiques ou de mécanismes d'action des psychotropes chez l'homme sont souvent entachés de biais d'interprétation. Les scientifiques non cliniciens qui utilisent le vocabulaire des thérapeutes le font toujours, et souvent en toute bonne foi, de manière abusive. Que signifie, pour un neurochimiste, poursuivre des recherches sur « les antipsychotiques » alors qu'il s'intéresse aux récepteurs dopaminergiques sur lesquels se fixent les neuroleptiques, ces traitements symptomatiques de l'agitation motrice ? Même si les neuroleptiques sont actifs sur certaines formes d'hallucinations, ce ne sont pas des « traitements des psychoses ». Le quiproquo est important.

De très nombreux congrès internationaux ont pour thème le traitement des schizophrénies, ou des troubles de l'humeur, alors qu'il ne s'agit que des traitements médicamenteux comme s'ils résumaient les aides à la souffrance psychique et comme s'ils « traitaient » vraiment radicalement et définitivement.

L'idéologie scientifique manque aussi de rigueur sur son propre terrain. Il en est ainsi des raisonnements tautologiques qui utilisent les mêmes données pour construire un modèle et pour le tester. Les modèles animaux utilisés en psychopharmacologie pour chercher de nouveaux psychotropes ont été élaborés à partir des effets des premiers psychotropes découverts par hasard. C'est pourquoi depuis quarante ans on a été incapable d'innover réellement.

La même erreur est en train de se reproduire en génétique. Les *lod scores* [1] retrouvés dans une analyse de liaison dérivent d'une analyse dans laquelle on utilise les mêmes données pour construire le modèle et pour le tester. C'est en tout cas le cri d'alarme qui vient d'être lancé par J.S. Alper et M.R. Natowicz, généticiens à Boston, dans *Trends in Neurosciences* (vol. 16, n° 10, 1993). Ces chercheurs déplorent les déconvenues observées dans les études de liaison génétique dans la schizophrénie et la psychose maniaco-dépressive ; ils pensent que la raison principale en est « la croyance solidement enracinée chez les scientifiques que la cause première de ces maladies est, en fait, génétique ». Ils ajoutent : « Tous les scientifiques ont des idées préconçues. Cependant, de telles idées ont beaucoup plus de chances d'aboutir à des conclusions erronées dans l'étude des comportements humains que dans des secteurs de recherche plus " objectifs ". En outre, il est particulièrement important que les chercheurs étudiant les comportements humains soient informés de ce biais et apprennent à y remédier compte tenu des conséquences sociales de leurs travaux. » Allons,

---

1. Technique de calcul mettant en évidence la probabilité d'une liaison entre un gène et une maladie.

tout n'est donc pas complètement pourri au royaume de la Science !

Un fait récent donne raison à ces deux scientifiques. Il y a quelque temps, une équipe nord-américaine de psychiatres et de généticiens a donné une conférence de presse fracassante *avant* de publier ses résultats dans une très grande revue scientifique à forte audience. Étudiant une population amish chez qui les taux de consanguinité sont élevés, ils pensaient avoir mis en évidence une anomalie génétique responsable de la psychose maniaco-dépressive. C'était le prix Nobel à la clef ! La presse du monde entier a repris l'information et l'a diffusée. Les millions de patients atteints de psychose maniaco-dépressive et leurs familles se sont émus. Quelque temps plus tard, l'équipe a repris ses calculs et s'est aperçue qu'elle s'était trompée. Cette fois, il n'y a pas eu de conférence de presse. C'est trop souvent le cas.

Une autre faute consiste à reporter d'article en article de vieilles références bibliographiques faisant état de travaux dont les résultats sont extraordinaires mais n'ont jamais été vérifiés. Il en est ainsi d'études portant sur des jumeaux réalisées il y a très longtemps en Scandinavie par un physiologiste américain en année sabbatique. Ces travaux tendaient à prouver l'importance du facteur génétique dans les maladies mentales. Leurs résultats sont donc considérés comme acquis parce qu'ils vont dans le sens souhaité. L'idéologie scientifique gagnerait à méditer Pasteur : « Le savant [...] doit se contraindre à se combattre soi-même [...] et ne proclamer sa découverte que lorsqu'il a épuisé toutes les hypothèses contraires. » (Discours à l'inauguration de l'Institut Pasteur.)

Ainsi, dans le domaine de la psychiatrie, l'idéologie scientifique, qui n'est pas le fait scientifique, tend à promouvoir une vision mécaniste du psychisme et à accréditer la représentation d'un être humain programmé et prédéterminé, chez qui les ressources personnelles n'ont aucun intérêt et pour qui le salut ne peut venir que de la Science.

## Chapitre 2

## Le discours de la Science

Les notions qui sous-tendent les représentations « scientifiques » des troubles psychiques et des psychotropes sont souvent un tissu de contre-vérités et d'affirmations solennelles et gratuites. Ces notions ne peuvent être énoncées que par des scientifiques, puisque ce sont les seuls à avoir les compétences pour cela. Elles ne peuvent être mises en cause et contredites par des non-scientifiques, puisqu'ils n'ont aucun crédit. Enfin, elles ne peuvent être dénoncées par des scientifiques, puisque ceux-ci ont tout intérêt – la notoriété, l'argent, le pouvoir, le narcissisme – à se taire. Du point de vue de la Société, il faudrait être fou pour le faire. Situez-moi où vous voulez...

Tous les *a priori* qui vont être examinés supposent des otages et un alibi. Les otages, ce sont tous les cliniciens qui, par leur silence ou leur participation active à cette propagande, en des lieux divers et pour des motivations personnelles diverses, alimentent le discours et le rendent possible. L'alibi, c'est la pathologie mentale. Les troubles psychiques représentent la souffrance la plus répandue dans le monde et ses conséquences sociales peuvent être

très lourdes, de l'arrêt de travail à la révolte. Prétendre
fournir la seule solution pour comprendre et pacifier la
souffrance psychique, c'est pour les scientifiques justifier
leurs travaux sur les molécules et donc leurs crédits de
recherche. Cela permet aussi aux industriels du médicament de s'ouvrir de fabuleux marchés.

La communauté internationale des neurosciences est
engagée dans un gigantesque effort financier pour la
recherche intitulé « Decade of the Brain ». Le bilan au
bout des dix années sera intéressant à faire, à moins qu'il
ne soit déjà truqué à l'avance dans la présentation de ses
résultats.

Parmi les affirmations « scientifiques » qui sont des *a
priori,* certaines ont déjà été envisagées :

« Les maladies mentales obéissent au modèle médical
et sont donc des maladies comme les autres. » On a vu
qu'elles empruntaient au modèle médical ce qui était du
registre symptomatique, mais que les troubles psychiques
étaient beaucoup plus riches et se développaient aussi
dans la dimension psychologique et contextuelle. Ce ne
sont donc pas des « maladies » comme les autres.

« L'esprit, c'est le cerveau. » Non ! Ceux qui affirment
cela ne travaillent même pas sur des cerveaux humains
mais sur des débris animaux ou sur des molécules. L'esprit
n'est pas la molécule. L'esprit, c'est la vie ! Un cerveau
humain vivant et le même cerveau humain mort ne se
ressemblent pas, et leur différence, c'est la vie. Tous les
cerveaux morts sont, à peu de chose près, identiques.
Tout cerveau vivant est unique.

« Il existe un déterminisme génétique aux maladies
mentales, les études de jumeaux le prouvent. » Non ! Il
n'existe même pas un début de preuve, mais seulement
des hypothèses. Cela justifie que des équipes compétentes
et honnêtes s'emploient à les vérifier. À condition que les

résultats et les interprétations soient présentés avec mesure et objectivité. Déjà, les plus honnêtes admettent qu'il est inutile de chercher LE gène de LA schizophrénie ou de LA dépression. LA schizophrénie et LA dépression n'étant pas des entités homogènes et invariables, on aurait pu s'en douter depuis longtemps... On parle de modèles multifactoriels combinant des systèmes polygéniques de vulnérabilité à des « facteurs d'environnement » encore inconnus. Mais c'est la vie que l'on décrit ! Nous ne sommes que le produit de nos gènes et de notre environnement. L'environnement, c'est notre culture, notre contexte et la nature... Tout obéit à ce schéma, du cancer au génie.

« La cause des maladies mentales est une anomalie biologique dans le cerveau. » Non ! Aucune anomalie biologique spécifique et exclusive d'un trouble psychique – quelles que soient les méthodes utilisées – n'a pu être mise en évidence. Le neurotransmetteur « bonne à tout faire » a la vie dure. Certes, les scientifiques ont abandonné ce système explicatif au fur et à mesure des progrès techniques qu'ils réalisaient. On est passé du neurotransmetteur au récepteur, du récepteur aux canaux ioniques et à la membrane cellulaire, de la membrane aux messagers intracellulaires et des messagers aux gènes. On s'arrête pour le moment. Comme les connaissances sur le pseudo-mécanisme d'action des psychotropes n'a pas dépassé le neurotransmetteur, on mouline du neurotransmetteur. C'est d'ailleurs l'argument de vente des médicaments psychotropes ! Les médecins ne prescrivent plus un antidépresseur mais un bloqueur de la recapture de la sérotonine. Comme si la sérotonine faisait la dépression ! La situation est très simple : la schizophrénie, c'est la dopamine ; la dépression, c'est la sérotonine ; et l'anxiété, c'est le GABA. Le tour est joué. Les autres neurotransmetteurs semblent n'avoir plus aucun intérêt, pas plus que les messagers intracellulaires ou les gènes qui codent les récepteurs. En effet, l'industrie a fabriqué de très nombreux produits dont on sait seulement qu'ils bloquent la recapture de la sérotonine. Alors, il faut bien les caser. De ce fait, la sérotonine commence à pouvoir tout faire. Elle intervient dans la dépression, mais aussi dans la schizophrénie, l'anxiété, les troubles du comportement alimentaire, les crises aiguës d'angoisse, l'hypersexualité, l'agressivité, le jeu compulsif, les troubles obsessionnels. Elle intervient dès qu'un nouveau marché se profile. Les médicaments deviennent « spécifiques » de l'inhibition de la recapture de la sérotonine, mais cette dernière n'est plus spécifique de rien. Personne ne s'interroge ou ne s'étonne. Elle possède la vertu dormitive de l'opium, chère à Molière, et on aurait tort de s'en priver puisque ça marche !

Il faut ajouter que l'action des psychotropes sur la neurotransmission n'a été étudiée que chez l'animal puisque c'est impossible techniquement chez l'homme. Le raisonnement est le suivant : puisque le médicament agit sur la sérotonine chez l'animal et qu'il améliore la dépression chez l'homme, c'est donc la sérotonine qui fait la dépression. On peut admirer la puissance du raisonnement et sa rigueur scientifique !

« On a retrouvé grâce à l'imagerie cérébrale des anomalies spécifiques des maladies mentales. » C'est encore faux. Il faut distinguer deux techniques différentes. Celles qui reproduisent des images anatomiques du cerveau : le scanner (ou tomodensitométrie) ou l'imagerie par résonance magnétique nucléaire et celles qui permettent de « voir » des fonctions élémentaires du cerveau : la circulation sanguine, la consommation de glucose et d'oxygène, les lieux de fixation de certains médicaments, il s'agit de la caméra à positons (ou tomographie par émission de positons). Les résultats obtenus et proclamés par ces deux types de techniques méritent commentaires.

Tous les articles scientifiques sont rédigés selon un plan convenu qui est à peu près : présentation, matériel, méthode, résultats, conclusion et interprétation. Ce sont toujours les conclusions et interprétations qui risquent d'être tendancieuses car toutes les équipes ont intérêt à proclamer des résultats les plus spectaculaires possible. C'est source de notoriété, donc de crédits et de crédibilité. Certes, il est de bon ton, dans toutes les publications qui portent sur les troubles psychiques ou les psychotropes, d'assortir des interprétations hardies d'un prudent *further studies are needed* avant d'être certain des interprétations énoncées. Le fait que « d'autres études soient nécessaires » avant de conclure sera vite oublié au bénéfice de ce qui a été avancé précédemment. C'est cela qui sera retenu, diffusé dans le public médical ou le grand public, toujours hors du contexte et donc avec l'impossibilité de mettre en évidence les biais méthodologiques ou les abus d'interprétation. On le dit aux États-Unis, c'est la survie des équipes qui en dépend : *Publish or perish* (publier ou mourir). Dites n'importe quoi, si c'est fracassant, il en restera toujours quelque chose. Le domaine des troubles psychiques est si « sensible », ses implications sont si nombreuses que l'on joue gagnant à tous les coups en faisant du sensationnel. De nombreuses équipes ont donc affirmé que « chez les schizophrènes », on retrouve une tendance à l'augmentation des ventricules cérébraux, cavités qui existent normalement dans le cerveau humain et qui constituent des réservoirs de liquide céphalo-rachidien. Et alors ? Autant d'équipes n'ont pu retrouver cette « tendance ». Celles qui l'ont retrouvée n'ont pas répondu à toutes les questions d'ordre méthodologique qui peuvent constituer autant de biais dans l'interprétation des résultats. À supposer que cela soit vrai, que pourrait-on en tirer comme conclusion ? Cause ou conséquence des troubles constatés chez ceux que l'on nomme schizophrènes ? Quel est le rôle des traitements antérieurs, des modes de vie, des facteurs existentiels imposés par le statut de schizophrène ? Les malades n'avaient aucun traitement ? Comment peut-on aujourd'hui constituer des groupes importants de schizophrènes non traités évoluant depuis des années ? Étaient-ils d'évolution récente ? Comment peut-on être certain du diagnostic alors qu'il demande plusieurs années pour être confirmé ? Etc.

Lorsqu'on est vraiment critique, il ne reste rien de l'affirmation selon laquelle certains malades mentaux, et eux seuls, auraient des anomalies morphologiques cérébrales. On peut rapprocher de ce débat la notion d'anomalies biochimiques observées dans le cerveau de malades décédés. Cette fois encore, tout est sujet à caution pour des raisons techniques et méthodologiques. En effet, pour apporter des données fiables, il faudrait prétendre garantir les conditions suivantes :

– constituer un groupe contrôle de cerveaux « sains » d'individus appariés en sexe et en âge avec le groupe des malades n'ayant jamais consommé de psychotropes et décédés dans des conditions qui n'influent en rien la biochimie cérébrale : pas de maladie, pas de stress, pas d'accident, pas de réanimation, etc. ;

– constituer un groupe de cerveaux de malades dont le diagnostic soit confirmé, qui n'aient de leur vivant aucun médicament psychotrope, et qui soient décédés dans des conditions ne modifiant pas la biochimie cérébrale (longueur de l'agonie, réanimation, etc.) ;

– en outre, il faudrait que dans les deux groupes les conditions soient identiques et standardisées en ce qui concerne le temps entre la mort et l'examen, les conditions de prélèvement et de conservation des cerveaux, etc. Il est clair que ces impératifs techniques et bien d'autres ne peuvent jamais être réunis en pratique et que les quelques données de la littérature ont évalué des fictions et ont négligé les innombrables biais méthodologiques.

Les techniques d'imagerie fonctionnelle (caméra à positons) ne sont pas plus à l'abri des critiques méthodologiques ou des interprétations abusives. Elles impliquent deux types d'études : les explorations fonctionnelles (consommation de glucose, circulation cérébrale) et les études de sites de fixation des psychotropes que l'on pense réaliser sur des récepteurs spécifiques, dopaminergiques ou sérotoninergiques. La consommation de glucose (comme celle d'oxygène) et le débit circulatoire sont l'illustration du fonctionnement d'une machine, le cerveau. Le glucose est un carburant, comme l'oxygène qui est amené dans le tissu nerveux par le flux sanguin. Ces paramètres donnent une indication sur le niveau d'activité cérébrale, faible ou élevé par rapport à une moyenne « normale ». Ces activités de base ne sont en rien spécifiques de la nature de la tâche dans laquelle le cerveau est engagé. Un individu détendu et au calme avec sa pensée consommera peu de carburant, un autre qui agite des pensées tumultueuses, peut-être délirantes mais qui peuvent aussi ne pas l'être consommera plus. Un autre sujet encore inhibé, ralenti et ayant peu d'activité mentale consommera encore moins que le sujet « normal ». On ne mesure rien d'autre. On utilise en fait la technologie la plus coûteuse qui soit pour confirmer ce que la seule observation clinique a établi depuis toujours : un cerveau vivant est nécessaire pour penser ; la pensée, qui passe par la mise intérieure en mots et en images, est variable selon l'intensité de la production des idées, un délirant est assailli par des pensées multiples et tumultueuses qu'il a du mal à maîtriser ; un déprimé est inhabité, figé, ralenti et ne pense pas à grand-chose.

Ces examens relèvent du quantitatif, pas du qualitatif. Ils ne renseignent en rien sur la spécificité des modifications éventuellement constatées. C'est pourquoi d'ailleurs on tend à mettre au point des activités de pensée standardisée qui mettraient les normaux et les « malades » dans des conditions de comparaison voisines.

La critique à l'égard des études portant sur les récepteurs [1] est encore plus fondamentale. Comme on sait que les neuroleptiques se fixent sur les récepteurs dopaminergiques et les antidépresseurs sur certains récepteurs sérotoninergiques, on pense qu'en évaluant quantitativement ces récepteurs chez le schizophrène et chez le déprimé on sera en mesure de visualiser d'éventuelles modifications quantitatives chez les malades. Peu importe que les récepteurs dopaminergiques que l'on étudie soient situés sur le striatum, structure cérébrale qui intervient seulement dans la motricité. Elle n'a sûrement rien à voir avec la schizophrénie mais, comme c'est la seule visualisable, il faut bien s'en accommoder. Passons...

Pour des raisons techniques et financières, les études sont réalisées sur de tout petits groupes. Dix sujets « normaux » et dix patients constituent en général la casuistique. Passons aussi sur les artifices mathématiques et informatiques qui permettent de transformer une quantité de radioactivité détectée dans le cerveau en une représentation des récepteurs cérébraux. On constate que les mesures relevées chez chaque sujet sont extrêmement

---

1. Structures particulières de la membrane des cellules nerveuses sur lesquelles se fixent de manière spécifique soit des neurotransmetteurs, soit des médicaments.

variables d'un sujet à l'autre, aussi bien chez les personnes « normales » que chez les « malades ». En d'autres termes, certains patients auront les mêmes valeurs que les personnes « normales » et certaines de celles-ci les mêmes valeurs que les « malades ». Qu'à cela ne tienne, on effectue alors des comparaisons des valeurs moyennes de ces deux groupes. Une moyenne sur dix sujets au sein desquels les écarts par rapport à la moyenne sont considérables, c'est mathématiquement acrobatique. On a ainsi décelé une « tendance à la différence » entre le groupe des « normaux » et celui des « malades ». Soit. Ce qui est plus chagrinant, c'est que la stabilité dans le temps des valeurs individuelles n'est jamais vérifiée. Si un témoin ou un malade présente des valeurs extrêmes, pourra-t-on les retrouver identiques à elles-mêmes un mois plus tard ? Ce n'est jamais fait parce que, dit-on, cela coûterait trop cher. Ou peut-être parce que les résultats pourraient invalider la méthode et montrer qu'à grands frais, on ne mesure dans les troubles psychiques que des artefacts. Une statistique portant sur dix cas, dans ces conditions, n'a aucune signification clinique, mais suscite des images et fait rêver.

Dans le domaine des psychotropes, compte tenu des intérêts commerciaux très importants qui sont en jeu, les affirmations gratuites ont non seulement besoin d'être péremptoires, mais elles nécessitent un habillage d'allure scientifique particulièrement sophistiqué.

Les troubles psychiques qui se taillent la part du lion sont la psychose, la dépression et l'anxiété, auxquelles correspondent les antipsychotiques, les antidépresseurs et les anxiolytiques. Une segmentation de ces marchés permet de placer dans les cases adéquates des entités cliniques dérivées possédant leur traitement spécifique. Ce qui devrait, à juste titre, n'être qu'une habile et légitime stratégie marketing, car le médicament, produit industriel comme les autres, devient, grâce au discours pseudo-scientifique, une vérité scientifique établie.

Les principales affirmations qui définissent le paysage des psychotropes ont déjà été envisagées et méritent simplement d'être récapitulées.

Le médicament psychotrope traite les maladies mentales. Exemple : la dépression est une maladie qui est guérie par un antidépresseur. On le sait, c'est voir la réalité par le petit bout de la lorgnette. Contester cette affirmation, ce n'est ni négliger l'intérêt irremplaçable des vrais antidépresseurs sur l'humeur du déprimé, ni enlever leur « guérison » à des patients qui sont convaincus du miracle obtenu grâce à telle ou telle gélule. Dire « la dépression est une maladie qui est guérie par un anti-dépresseur », c'est être convaincu de l'unicité et de l'ho-mogénéité de LA dépression ; c'est prétendre qu'il s'agit d'une maladie (selon le concept médical) ; c'est réduire la dépression au seul symptôme et évacuer le psychisme de chacun, le sens et le contexte ; c'est supprimer le rôle soignant de la relation médecin-malade, oublier l'effet placebo et tenir pour guéri quelqu'un qui n'a plus de symptômes. Ouf ! Cela fait beaucoup. Si le médecin qui soutient cette affirmation en était convaincu, on pourrait le remplacer par un distributeur automatique de gélules miracles auquel le patient irait s'approvisionner tout seul. Dire à un déprimé : « Vous avez une maladie qui s'appelle la dépression et je vais vous guérir grâce à cette gélule très efficace et que je connais bien », c'est déjà instaurer un processus psychothérapique où la suggestion et l'effet placebo joueront largement leur rôle en parallèle à l'au-thentique effet pharmacologique. Personne ne songe plus à dire que les neuroleptiques guérissent les schizophrènes et l'on admet que le médicament, élément nécessaire mais insuffisant pour une amélioration à long terme, tient une place importante dans une stratégie thérapeutique qui comporte bien d'autres modalités. En revanche, l'importance du neuroleptique est beaucoup plus grande devant des symptômes aigus de crise et d'agitation même si, là encore, le médicament ne doit jamais être la seule mesure thérapeutique. En matière d'anxiété, nul ne peut non plus prétendre que l'anxiolytique traite l'anxiété au sens de la guérison médicale. L'anxiolytique fait oublier les symptômes de l'anxiété et rend indifférent à ses causes. Mais l'arrêt du traitement, si le contexte est demeuré identique, entraîne la réapparition des symptômes.

L'affirmation « on connaît le mécanisme d'action du psychotrope » a déjà été critiquée à plusieurs reprises. Extrapoler à partir de quelques informations peut encore passer quand il s'agit de développer des arguments de vente, ce genre de propos hâtifs n'est pas de l'ordre de la vérité scientifique. Il est vrai que certains s'épuisent à prendre des précautions oratoires et quand ils avancent une idée, à toujours préciser qu'il s'agit d'hypothèse ou de présomption. Il est plus facile de parler de mécanisme d'action sans s'embarrasser de restrictions verbales. Même si l'on admet une action biochimique cérébrale chez l'animal ou la réalité de sites de fixation spécifique sur des récepteurs membranaires, on doit mettre cette action en relation avec un comportement élémentaire chez l'homme. Motricité, humeur, anxiété, hallucination pour prendre des comportements déjà très complexes sont améliorés de manière non spécifique, quel que soit le cadre nosologique. De la même manière, l'aspirine calme les douleurs quelles qu'elles soient sans préjuger de leur cause. À soigner exclusivement des symptômes en psychiatrie, le malade risque de disparaître.

On s'attardera un peu plus sur les modalités de mise

en évidence des propriétés thérapeutiques des psycho-tropes chez l'homme.

La méthodologie de la psychopharmacologie clinique, puisque c'est ainsi que l'on appelle les essais thérapeu-tiques chez l'homme, est une construction totalement artificielle, fondée sur des compromis, des conventions et bien entendu totalement extrapolée à partir du modèle médical. La pharmacologie clinique est la discipline qui évalue les effets des médicaments somatiques chez l'homme. Elle a élaboré une méthodologie scientifique-ment remarquable qui n'est pas contestable.

Prenons l'exemple du traitement de l'hypertension arté-rielle. On possède un témoin objectif de la valeur de la pression artérielle grâce à un appareil qui la mesure. L'effet du médicament est évalué sur la baisse des chiffres de pression artérielle, un antidiabétique sur la valeur de la glycémie, un hypocholestérolémiant sur le taux de cholestérol, etc. En l'absence de chiffres, on utilise d'autres éléments objectifs : la disparition d'un microbe, la cica-trisation d'un ulcère...

On constitue dès lors deux groupes de patients stric-tement identiques quant aux caractéristiques objectives de leur affection en se fondant sur la quantification de ces caractéristiques objectives. Dans un premier temps, médecins et malades n'étant pas informés de la séquence, un groupe reçoit du placebo (qui est une substance sans effet pharmacologique comme de l'amidon) et l'autre le médicament à tester. En effet, on sait que la force de la suggestion est si grande que, quelle que soit la maladie en cause, elle peut s'améliorer spontanément dans au moins 30 % des cas, y compris dans les affections les plus graves. La comparaison entre le groupe placebo au sein duquel il y aura au moins 30 % d'amélioration et le groupe traité par le médicament permettra d'évaluer ses capacités thérapeutiques de 40 à 100 % d'amélioration. Le médicament doit en effet posséder une efficacité supérieure à celle du placebo pour être reconnu, vendu et remboursé.

Dans un deuxième temps, le médicament ayant démontré qu'il est supérieur au placebo sera comparé, toujours selon le système des groupes traités en aveugle, à des médicaments déjà commercialisés de la même classe thérapeutique. Le système possède sa logique puisqu'on est capable de constituer des groupes homogènes de comparaison fondés sur des critères objectifs quantifiables. Comment faire en psychiatrie où le symptôme n'est qu'un élément d'un trouble psychique qui engage l'individu dans sa totalité, où la notion de groupes homogènes de symptômes ou *a fortiori* de psychismes est une absurdité, où les symptômes, étant subjectifs, ne sont pas quantifiables ?

Au début de l'histoire des psychotropes, l'attitude dominante a été empirique et finalement très réaliste. On administrait les substances nouvelles, on observait les patients, on les écoutait, on leur demandait ce qu'ils en pensaient et s'ils se sentaient améliorés. Certes, on n'était pas à l'abri de l'effet placebo, mais c'est ainsi que l'on a découvert les propriétés des neuroleptiques, des antidépresseurs et des anxiolytiques.

Aujourd'hui, le système est totalement codifié, réglementé, « scientifisé ». Il est absurde mais obligatoire, et on ne trouve plus rien, on se contente de comparer inlassablement de « nouvelles » molécules aux anciennes en espérant qu'elles ne seront pas inférieures. En effet, au lieu de reconnaître la particularité des troubles psychiques et des psychotropes, on a assimilé les troubles psychiques à des maladies et les psychotropes à des médicaments agissant sur des manifestations objectives et quantifiables. Dès lors, on a pu aligner la psychophar-macologie sur la pharmacologie des médicaments soma-tiques et utiliser une méthodologie éprouvée et parfaite-ment opérationnelle.

La difficulté était de transformer des symptômes par essence subjectifs et donc non qualifiables en index objec-tifs se prêtant à un traitement quantitatif. Peu importent l'absurdité de la procédure et son caractère contre nature. Puisqu'il s'agit d'une convention, d'une fiction, seul compte le fait qu'elle est acceptée. Dès lors, à partir de cette conversion du subjectif en objectif, on crée un monde virtuel au sein duquel on établit des règles, de plus en plus précises, de plus en plus tatillonnes, et on parle de l'illusion comme s'il s'agissait du réel. Après tout, on avait déjà commencé en créant le concept de critères diagnostiques en psychiatrie : ceux-ci ne reposent en effet que sur des symptômes non spécifiques. Quelle étrange alchimie ! On a construit des « échelles de comporte-ment »... Tout un programme, puisque actuellement aux États-Unis on construit bien des échelles de comportement anti-social ! Il suffira vraisemblablement d'être noir, anal-phabète, sans travail, toxicomane et agressif pour obtenir un très bon score. Nul doute qu'un médicament spécifique permettra d'être moins agressif et de faire baisser le score...

Les échelles de comportement en psychiatrie sont encore plus nombreuses que les systèmes de critères diagnos-tiques. C'est dire leur pertinence. Il existe donc des séries d'échelles de dépression, d'anxiété, de « psychopathologie générale »... Tous ces outils de psychométrie quantitative, héritiers d'une tradition qui remonte à la fin du XIXe siècle, sont censés posséder des qualités métrologiques indiscu-tables : sensibilité, fidélité et validité. Elles reflètent, ni plus ni moins, les opinions codées d'un examinateur et contiennent des items qui sont jugés pertinents pour la pathologie considérée. La quantification, très simple, va de 0 à 4 ou plus en général, et elle repose sur le sentiment qu'éprouve l'observateur face au patient au moment de l'examen. Les chiffres correspondent à : absent, léger, modéré, important, très important. L'échelle est composée d'une série d'items tels que perte de l'appétit, diminution de la libido, anxiété psychique, humeur dépressive, idées suicidaires, etc. Le score global, par addition des notes aux différents items, « quantifie » le tableau clinique et permet de suivre son évolution sous traitement. Le malade est ainsi coté au jour J 0, au début du traitement puis de semaine en semaine à J 8, J 15, etc.

Un travail considérable a été effectué depuis une trentaine d'années dans le domaine de la quantification en psychiatrie. Des analyses mathématiques diverses permettent de triturer les items, regroupés parfois en sous-groupes ou clusters. D'analyse factorielle en analyse en composante principale, nul doute que la vie psychique est scrutée dans son intimité et les effets thérapeutiques des psychotropes finement mis en évidence.

Toute ironie mise à part, ces travaux sont sûrement indispensables puisque, de toute façon, ils sont obligatoires et réglementaires pour obtenir une autorisation de mise sur le marché d'un psychotrope. Cependant, on ne devrait jamais oublier qu'il s'agit d'une construction artificielle, d'une fiction, à certains égards d'une nouvelle tautologie, qui ne représente pas la réalité de la vie psychique ni celle des troubles psychiatriques. Les phénomènes que l'on prétend mesurer sont-ils par nature mesurables ? Les items cotés qui aboutissent à un score global « pèsent-ils » du même poids lorsqu'ils sont de nature totalement différente (les troubles des règles et les idées de suicide dans une échelle de dépression) ? Les experts eux-mêmes finissent par s'apercevoir que la prise en compte du qualitatif, de l'opinion des patients présente un intérêt. Le médicament psychotrope doit faire ses preuves autrement que sur des échelles de comportement. Ce sont des êtres humains que l'on soigne, pas des chiffres ni des scores.

La mode et l'utilisation à des fins strictement commerciales se sont emparées des échelles de comportement. Tout y passe, ou peu s'en faut, afin de démontrer de manière « scientifique » qu'un psychotrope est tout particulièrement efficace sur quelques items que les produits concurrents n'auraient pas songé à exploiter.

L'argument pour convaincre le médecin de prescrire louvoie entre une action sur les neurotransmetteurs « plus spécifique » que les autres (on est dans le domaine du « plus blanc que blanc ») et l'amélioration « statistiquement significative » de quatre items représentant un sous-groupe d'une échelle. La multitude d'échelles de dépressions montre bien qu'elles ne mesurent pas la même chose. Il suffit donc de choisir l'échelle *ad hoc* pour obtenir l'amélioration escomptée sur des chiffres.

Un humoriste anglais, R.P. Bentall, a publié en 1992 dans le *Journal of Medical Ethics* (n° 18, p. 94-98) un article intitulé « Proposition pour classer le bonheur comme trouble psychique. » Cet article a donné d'ailleurs lieu ultérieurement à divers commentaires dans le *British Journal of Psychiatry* (1993, n° 162, p. 539-542). L'auteur, reprenant point par point les critères qui servent à définir les troubles psychiques dans les manuels, justifiait sa position en définissant ainsi le bonheur : « Cette entité mérite de figurer dans les manuels de critères diagnostiques sous le label : trouble majeur de l'humeur, de type agréable. En effet, le bonheur est une entité anormale de manière statistiquement significative, constituée d'un petit nombre de symptômes reliés entre eux, associée à des anomalies cognitives (en particulier une perte du contact avec la réalité) et reflétant probablement un fonctionnement anormal du système nerveux central. Le bonheur répond donc à tous les critères habituels qui servent raisonnablement à définir un trouble psychiatrique ». Nul doute que l'on trouvera rapidement des échelles de comportement pour le mesurer, et pour le supprimer, pour la première fois, point ne sera besoin de médicaments, les aléas de la vie y pourvoiront...

Après ce panorama des discours de la science qui habillent la réalité des troubles psychiques et de l'action des psychotropes, force est de constater que la Science est loin du concret et de l'expérience quotidienne. Elle ne tient aucun compte de la complexité et de la diversité de la psychopathologie, c'est-à-dire de la richesse des comportements psychologiques humains. Il est vrai que pour être chercheur il faut des modèles et les plus simples possible. Mais il ne faut pas affirmer que le modèle représente la réalité. La Science ne doit pas dicter aux cliniciens ce qu'ils sont censés observer. C'est la clinique qui doit permettre la théorie alors que la science, aujourd'hui, impose sa théorie et ses hypothèses comme seule représentation de la clinique.

## Chapitre 3

# La Science n'est pas parfaite

La Science, comme les hommes qui la produisent, n'est pas parfaite. C'est dans l'ordre des choses et nul ne songerait à faire un procès à la Science. Les dérapages, les excès, les fautes se retrouvent chez les scientifiques comme chez les autres hommes dans l'exercice de leur métier. Les rivalités, les jalousies, la passion pour la découverte, le désir parfois effréné de notoriété et de récompenses n'épargnent pas les scientifiques. Des duels célèbres dont l'opinion publique n'ignore plus rien ont défrayé la chronique, hier avec Guillemin et Schally, aujourd'hui avec Montagnier et Gallo. Soit. Dans ces conditions, la Science ne doit pas être intouchable. Aucun milieu n'échappe à la critique, mais on dirait que la Science doit demeurer inatteignable comme la religion autrefois. Critiquer la Science, c'est blasphémer, c'est apparaître comme le dernier des rétrogrades, le plus obscur des passéistes ; en un mot, c'est refuser le progrès pour l'humanité. Pourtant, critiquer ce n'est pas rejeter en bloc, ce n'est pas condamner en totalité, cela peut être nuancé. Affirmer qu'il faut être circonspect sur certaines affirmations, que les démonstrations convaincantes manquent pour appuyer certaines positions ou même que dans certains domaines on fait carrément fausse route cela peut être salutaire. On n'a pas à prendre pour argent comptant tout ce qui est édicté par la Science et on est en droit de douter lorsque des promesses ne sont pas tenues depuis trop dc temps.

On ne répétera jamais assez que les découvertes annoncées en psychiatrie par les neurosciences tardent à venir et que les vraies innovations ont, jusqu'à ce jour, été fortuites. Cela changera forcément mais doit aujourd'hui incliner à la modestie, à l'ouverture d'esprit et à l'absence de sectarisme. Les critiques que l'on peut adresser à la Science sont de deux ordres : l'une à propos des sujets de recherche qui sont délibérément écartés parce que possiblement gênants pour la doctrine officielle et l'autre à propos des monstruosités que l'on commet au nom de la Science. Dans ce dernier domaine, les fraudes et trucages des résultats peuvent apparaître comme des fautes vénielles. Elles égarent d'autres chercheurs et font dépenser du temps et de l'argent en vain. Les répercussions éthiques peuvent être plus graves quand les résultats concernent des êtres humains. Cependant, la fraude en science constitue une question suffisamment sérieuse pour qu'aux États-Unis de nombreux articles paraissent à ce sujet tous les ans et que les fraudes les plus spectaculaires soient dénoncées dans la presse spécialisée. Au cours des essais de médicaments psychotropes, le trucage des dossiers est évidemment très grave. La diffusion des procédures appelées « bonnes pratiques cliniques » a au moins permis d'écarter les cas où les investigateurs cliniciens inventaient purement et simplement des malades en remplissant fictivement des observations imaginaires. Dans ce cas, les résultats étaient en général très bons. Les vrais monstruosités ne sont pas de cet ordre. *Le Figaro* (21 décembre 1993) a récemment révélé un scandale aux États-Unis. Une étude réalisée sur plus de vingt ans à l'université de Vanderbilt (Tennessee) a consisté à administrer des pilules radioactives à 751 femmes enceintes venues consulter dans un service de soins gratuits pour déterminer les effets à long terme des radiations sur les enfants. Plusieurs enfants sont morts de tumeur, de cancer et de leucémie. Autre monstruosité : c'est le clonage d'embryons humains réalisé par Jerry Hall qui pense qu'ils pourraient si on les conserve longtemps devenir des donneurs d'organes pour les greffes. C'est effectivement un bon moyen de supprimer la singularité de l'être humain. Pour rester dans le domaine de la psychiatrie, on peut aussi évoquer une étude aberrante et monstrueuse qui se déroule actuellement aux États-Unis, sous la direction du NIMH (l'Institut National de la Santé Mentale). Les faits ont été rapportés récemment dans un article excellent et terrifiant de Gilbert Charles paru dans *L'Express* du 28 octobre 1993 et intitulé « Le nouvel ordre biologique ». Ils démontrent les conséquences possibles de raisonnements s'appuyant sur des *a priori*.

Les États-Unis sont un pays où la délinquance est très élevée. On pourrait tenter d'en analyser les causes sociologiques, en particulier l'absence de système de protection sanitaire et sociale pour les plus démunis. Ce n'est pas cette approche qui a été choisie. Des « savants » ont posé comme principe que la délinquance est une affection chronique et héréditaire qui touche surtout les Noirs. Dans le cadre d'un programme s'intitulant « Violence Initiative », l'Institut national de la santé s'est vu attribuer un crédit de quarante-deux millions de dollars pour étudier cette « maladie ». En effet, pour se débarrasser « scientifiquement » de la criminalité, il convient d'abord d'en faire une maladie dont le diagnostic figurera dans les manuels. Dans l'ex-Union soviétique, on avait procédé de la même manière en créant une forme particulière de schizophrénie, « le délire d'opposition au régime », qui a permis d'interner un certain nombre de dissidents et de les placer sous neuroleptiques. Aux États-Unis, le programme est beaucoup plus ample. On individualise un trouble grave du comportement intitulé « comportement agressif, antisocial et suicidaire ». L'étude a pour but le dépistage des individus à risques pour l'alcoolisme, la toxicomanie, le vol, l'impulsivité, la criminalité. Des milliers de jeunes sont en cours d'examen dans les écoles, les centres pour délinquants, les prisons... Ils sont testés, examinés, et on procède sur eux à des dosages du liquide céphalo-rachidien et du sang. Que recherche-t-on ? Vous l'avez deviné ! La sérotonine. En effet, quel serait l'intérêt de mettre en évidence un risque de « comportement antisocial » si ce n'était pour le prévenir et le traiter ? De superbes marchés se profilent à l'horizon pour les fabricants de molécules inhibant la recapture de la sérotonine comme le sont nombre d'antidépresseurs actuels. Cela coûtera évidemment moins cher que d'élever le niveau social des Noirs, d'ouvrir des écoles, de donner un libre accès aux soins, de garantir des emplois et d'assurer une protection sociale.

Le fantasme est très clair dans ce programme : « Ce qui dérange la société, c'est de la folie ou de la maladie. Cela peut donc être traité par la médecine. » La cause n'est donc pas sociale mais limitée à l'individu. On évite ainsi de poser des questions gênantes ou de remettre en cause des comportements sociaux.

Dans son article de *L'Express*, Gilbert Charles rappelle aussi d'une manière très opportune le processus de « pacification chimique » auquel sont soumis aux États-Unis un million d'enfants de trois à dix-sept ans. Ces enfants turbulents, joueurs et distraits ont une maladie appelée « syndrome hyperkinétique » ou trouble déficitaire de l'attention, qui ne repose sur aucun signe objectif et n'est reconnu qu'aux États-Unis. 10 % des garçons et 5 % des filles d'âge scolaire prennent donc tous les jours un produit, la Ritaline, qui est interdit en France. C'est en effet une amphétamine qui, psychostimulante chez l'adulte, est paradoxalement sédative sur des cerveaux jeunes. Comme toute amphétamine, elle est toxicomanogène. L'histoire ne dit pas s'il existe une relation entre la prise quotidienne de Ritaline dans l'enfance et la survenue de toxicomanie chez l'adulte jeune. Il ne faut faire de peine à personne et on ne saurait contester un aussi beau marché pour la Ritaline. Oui, décidément, il faut méditer l'article de Gilbert Charles.

Ces différents exemples de dérapages au nom de la neurobiologie incitent à demeurer critique à l'égard des affirmations ou des certitudes de la Science. De même pour l'éviction délibérée de thèmes de recherche passionnants mais qui risquent de remettre en cause les dogmes. Deux exemples : l'effet placebo et les états modifiés de la conscience comme l'hypnose. Personne ne nie l'effet placebo et il est utilisé sans le nommer, empiriquement, depuis des milliers d'années dans toutes les civilisations et toutes les cultures. L'effet placebo, c'est le pouvoir de guérir ou d'améliorer la santé par la vertu de la relation interindividuelle et par la suggestion, y compris par l'autosuggestion. Selon les cultures, l'« opération placebo », la procédure de guérison, prend des formes différentes qui font toujours appel à un rituel. Que le guérisseur soit appelé sorcier, chaman ou médecin ne change rien à l'affaire, il existe toujours un rituel et un objet support de la relation : l'amulette, l'animal sacrifié ou le médicament. Que sont devenus l'effet placebo et son support dans notre société matérialiste et scientifique ? Ils ont, bien évidemment, été récupérés par la médecine qui, paradoxalement, ne pourrait pas exister sans eux mais les ignore par peur d'y perdre du prestige et du pouvoir. Comment reconnaître que le savoir n'est pas seul capable de guérir dans une société qui dévalorise les valeurs spirituelles ? On a donc restreint dans notre culture le nom d'effet placebo à ce phénomène extraordinaire qui consiste à guérir ou à améliorer dans au minimum 30 % des cas, quelle que soit la pathologie fonctionnelle (et parfois organique), par l'administration d'une imitation de médicament ne contenant aucun produit actif. Un malade se plaint de douleurs (y compris cancéreuses), de vomissements, de maux de tête, de vertiges, de troubles digestifs, etc. Le médecin, identifié comme tel, lui donne une gélule de farine, un comprimé d'amidon ou une piqûre d'eau distillée et au minimum dans 30 % des cas tout symptôme disparaît. Très souvent, le pourcentage est beaucoup plus élevé, 40 à 60 % des cas. L'anxiété ou la dépression n'échappent pas, bien au contraire, à l'effet placebo qui y est très marqué.

L'effet placebo, ce n'est pas seulement l'administration d'un objet qui ressemble à un médicament et est appelé placebo ; c'est aussi l'effet de la relation qui se tisse entre deux personnes. L'une souffre et demande de l'aide à une personne choisie par elle, identifiée comme soignante et investie d'un pouvoir de guérir. C'est la base de la relation soigné-soignant. Le soignant n'est que le support de la projection qu'opère le soigné sur lui dans le cadre d'un travail qui lui est propre et qui constitue le processus de guérison. Le soignant peut se nommer médecin, guérisseur, sorcier, l'effet est le même si l'on est vraiment investi de ce pouvoir supposé. Le psychothérapeute est exactement dans la même situation, ce qui a pu faire dire que le résultat n'est pas lié à la psychothérapie utilisée mais à la personne choisie et au rituel.

Le placebo mériterait de nombreux développements et ses différents aspects sont d'une très grande richesse. On ne peut ici que l'évoquer pour situer l'attitude de la science à son égard. Déjà, la médecine est mal à l'aise et refuse d'officialiser l'effet placebo. Il n'est pas enseigné de manière extensive dans les facultés, car il mettrait en danger les médicaments officiels ; on ne lui concède au mieux, de manière méprisante et ironique, que le pouvoir d'améliorer les « hystériques ». Ce qui n'est pas le savoir officiel est illégal. Si un docteur en médecine authentique guérit dans son cabinet grâce à l'effet placebo en utilisant le support d'un pendule, d'un aimant ou de ses mains, il devient un « guérisseur » et est condamné. La tradition nomme « guérisseur » les illégaux qui sont peut-être efficaces et « docteurs » les doctes qui savent mais qui ne guérissent peut-être pas toujours. Tout bon médecin doit aussi avoir la vocation de guérisseur. Malheureusement, certains guérisseurs peuvent être parfois des charlatans.

L'effet placebo permet la cicatrisation de 30 % des ulcères gastriques, normalise la pression artérielle, fait disparaître des verrues en une nuit, que sais-je encore. Mais il n'intéresse pas la science ! Personne n'engage de crédits pour essayer de comprendre cette alchimie extraordinaire des rapports entre le corps et l'esprit. Un chercheur officiel se lançant dans de telles études risque de ruiner sa carrière et de se voir couper ses crédits. Cependant, l'étude des médicaments officiels nécessite des essais contre placebo. Lorsqu'on sait que dans la dépression l'effet placebo peut aller jusqu'à 50 ou 60 % et à 40 % même dans des mélancolies authentiques, ou que l'effet placebo dans l'anxiété généralisée, avec un bon « thérapeute-guérisseur », peut probablement dépasser ces chiffres, on est en droit de se poser des questions. Ou plutôt ce sont précisément les questions qu'il ne faut pas poser. En général, les études initiales réalisées dans le développement d'un médicament contre placebo ne sont jamais publiées ; elles sont seulement communiquées aux autorités administratives. Il n'est pas rare de voir le placebo supérieur au produit à tester dans deux études sur cinq, ce qui n'empêche pas le médicament d'être développé et de faire une grande carrière. Par la suite, si on choisit bien les échelles de comportement et les méthodes d'analyse statistique, le produit « actif » est souvent supérieur au placebo...

Le phénomène le plus passionnant de l'acte médical est donc écarté par la science officielle parce que ses implications seraient probablement gênantes pour le dogme, dont certains aspects pourraient être remis en cause.

Un autre exemple d'abandon par la science est fourni par l'hypnose et les états modifiés de la conscience. Cette fois encore, il n'est pas question d'entrer dans les détails d'un monde pourtant passionnant où l'on retrouve pêle-mêle des phénomènes inscrits dans toutes les cultures, les débuts de la psychanalyse et un formidable laboratoire pour étudier les rapports du corps et de l'esprit.

L'état hypnotique n'a rien de mystérieux. Quelle que soit la technique utilisée, il est assez facile à créer chez à peu près n'importe qui à condition d'être volontaire. Nul trucage, c'est le pouvoir de la suggestion sur un esprit préparé et bienveillant qui agit. L'utilisation de l'hypnose sur des scènes de music-hall, à des fins non médicales et qui sont spectaculaires, a pu créer des amalgames fâcheux pour la thérapie hypnotique. Quoi qu'il en soit, les phénomènes réalisés sous hypnose et par la seule suggestion (apparition d'une phlyctène après évocation d'une brûlure, modifications de paramètres physiologiques) devraient intriguer la Science. Les guérisons de nombreuses affections sous hypnose (asthme, affections dermatologiques, troubles psychiques divers comme les phobies, obsessions, etc.) devraient passionner la médecine. Timidement, l'hypnose retrouve sa place en médecine en France, bien que la Science la boude toujours. Seule une initiative récente d'organisation d'un symposium, courageuse et hardie, du directeur général du CNRS a pu troubler un peu les scientifiques.

L'hypnose n'est qu'un cas particulier des états modifiés de la conscience. D'autres cultures pratiquent la méditation, la transe, et divers exercices spirituels qui permettent de remettre en cause les dogmes de la Science officielle. En Inde, certaines personnes, les « yogui », ont poussé très loin le pouvoir de l'esprit sur le corps. Ils sont capables, dit-on, de réaliser ce que la Science nous interdit de croire puisque son savoir nous dit que c'est impossible : aspirer de l'eau par l'urètre, dérouler l'intestin en dehors du corps par la seule volonté, diminuer délibérément les battements cardiaques... L'attitude de la Science consiste à dire « Je ne le crois pas puisque cela n'est pas possible » alors qu'elle devrait être « Je veux comprendre ». On retrouve la même attitude à l'égard de tout ce qui est qualifié de « parapsychologique ». Ce que l'on ne comprend pas, ce qui n'entre pas dans le champ du rationnel et de la connaissance, n'existe pas ou bien relève de la supercherie. Il règne un mépris considérable sur le pouvoir de l'esprit et en particulier de l'esprit sur le corps. Sans doute, ce dédain est-il inspiré par la mégalomanie de nos références culturelles considérées comme les seules valables. Il est certain qu'une attitude vraiment « scientifique », faite de curiosité et de désir d'élucider ce qui semble incompréhensible, risquerait de mettre à mal nombre de dogmes qui permettent de cultiver tranquillement des situations acquises.

Non, la Science n'est pas parfaite et il est naïf de n'en attendre que du bien. Le droit à la critique et même au veto doit être proclamé dans le seul but de conserver à l'être humain sa spécificité, si imparfaite soit-elle. Le clonage d'êtres humains et la pacification chimique des masses ne peuvent être considérés comme l'accession au bonheur et un progrès pour l'humanité. La Science est trop peu au service de l'homme et trop souvent au service de groupes d'intérêts divers. En fait, un seul exemple suffira pour convaincre que les scientifiques ne savent pas s'imposer des limites éthiques lorsqu'ils sont sollicités par la société, c'est le cas pour la création des armes biologiques, chimiques et nucléaires. On imagine donc ce que pourrait donner le dévoiement de la génétique moléculaire et du contrôle chimique du cerveau des indésirables. Tout le monde n'a pas le courage d'un Jacques Testard, qui a décidé de changer ses thèmes de recherche lorsqu'il a pris conscience du pouvoir pervers sur l'homme des techniques qu'il développait.

*Chapitre 4*

# Le bonheur normalisé par la Science ?

La « Science Reine » domine la pensée, ou croit la dominer. En fait, elle est récupérée par les appétits de la société dont elle est l'otage. Ses membres les plus éminents ou les plus adaptables sont choyés, honorés, décorés, reconnus. La Science recevant de l'argent, elle doit donc accepter de se taire, sauf à perdre son pouvoir et son existence même, lorsqu'elle se trompe ou lorsque ce qu'elle produit est récupéré et déformé. Une équipe scientifique en vue ne livrera à la presse que des faits positifs, des espoirs, des mirages. Il n'y aura jamais de conférence de presse pour expliquer que l'on s'est trompé ou que les espoirs viennent d'être déçus. Dans le domaine de la neurobiologie, de la psychiatrie et des psychotropes, personne ne dément lorsque des résultats biologiques, des techniques sont utilisés dans un but marketing pour asseoir l'image d'un médicament alors qu'ils n'ont rien à voir avec l'efficacité du produit.

En matière de troubles psychiques et de psychotropes, la Science et l'industrie pharmaceutique marchent la main dans la main pour accréditer l'idée que les troubles psychiques sont des maladies dont les seuls traitements sont des médicaments. On ne saurait blâmer l'industrie pharmaceutique qui est dynamique et performante et qui, dans le contexte de nos valeurs sociales, fait très bien son travail. Les valeurs sont : performance, accroissement des marchés, augmentation des profits. Ce sont les valeurs de tous les systèmes de production industrielle. Mais ce qui est critiquable, c'est que les scientifiques et les médecins ne font rien pour redresser l'argumentation. Pourquoi de l'anxiété, du stress, de la dépression ? Uniquement parce que la chimie du cerveau dysfonctionne ? N'y aurait-il pas d'autres raisons liées aux circonstances de vie, aux événements existentiels, aux rapports entre les êtres ? N'est-ce pas là qu'il faut agir en analysant le pourquoi de situations invivables plutôt que de masquer les symptômes, c'est-à-dire les effets de ces situations, au fil des années ? Donner comme seule explication au patient le prétexte de la chimie cérébrale, c'est facile, c'est rapide, mais c'est aussi l'amener à se couper de la réalité, à refuser ses responsabilités, à tout attendre de l'extérieur. La médecine et le système de soins risquent de fabriquer des assistés en situation perpétuelle de dépendance. Le matérialisme de la Science l'amène nécessairement à nier la valeur du spirituel. Son ambition de pouvoir et la certitude de détenir la vérité la positionnent comme valeur de remplacement. Le discours de la Science est devenu la nouvelle philosophie de l'homme et lui promet le bonheur. Surtout, ne pas penser ; en cas de difficulté, la chimie fait oublier.

Il est un exemple actuel intéressant, celui de la durée d'un traitement par les antidépresseurs. Si l'on pose comme principe qu'une dépression est nécessairement une maladie (comme les autres, vous dis-je !), que son traitement est un médicament, deux discours se soutiennent mutuellement : l'un est médical et l'autre est marketing. Le premier dit : « Vous voyez que je vous ai donné un bon médicament puisque vous êtes guéri (je suis donc un bon médecin). » Mais le mauvais malade, au bout de quelques mois, voit réapparaître ses symptômes : c'est une rechute. Si les symptômes réapparaissent au bout d'un temps plus long, un an ou deux, c'est une récidive. Moralité, il faut traiter très longtemps et peut-être à vie... La dépression est devenue (dans l'imaginaire du médecin et du malade) une caractéristique extérieure à la personne, sur laquelle seul le médicament agit. Dire « c'est une rechute », ou « c'est une récidive », c'est considérer la dépression comme un phénomène immuable, inaltérable au cours du temps, insensible aux événements extérieurs et sur laquelle le patient n'a aucune prise. Le malade vit sa vie avec ses joies, ses peines, ses succès, ses échecs et la dépression, elle, rechute et récidive pour son propre compte. À endoctriner ainsi un patient, la dépression dure toute la vie. Ne vous inquiétez pas, on a un terme pour cela : la dépression chronique.

Ce discours médical (j'imagine heureusement qu'il doit être exceptionnel) est en fait le fruit des contraintes marketing. Le marché des antidépresseurs est très vaste en France, mais tout marché est fait pour être augmenté à l'infini dans les limites des contraintes légales. Il fut une époque où on augmentait les posologies des médicaments au fil de leur carrière. Le médicament x marchait, on doublait la dose et il devenait le « super x ». Des contraintes légales, réglementaires et pharmacologiques ont limité cette tentation. De nouveaux marchés sont apparus. On a étendu les indications des antidépresseurs à d'autres entités cliniques ou on a créé de nouveaux concepts de maladies en médicalisant ce qui est existentiel. Par exemple, le concept de « dépression masquée » permet

de traiter par un antidépresseur des symptômes fonctionnels, douleurs diverses, etc., alors que le patient est gai
comme un pinson. La création d'un nouveau concept
clinique est une lourde affaire. Elle nécessite de gros
moyens financiers pour créer toute la chaîne de façonnage
de l'opinion, du niveau international au médecin prescripteur. Les vedettes scientifiques mondiales sont réunies
en conclave pour habiller scientifiquement l'opération.
Des livres, des articles, des congrès crédibilisent le concept.
On crée des échelles de comportement, et, consécration
suprême, le nouveau concept figure un jour, après de
nombreux et coûteux efforts, sous la forme d'un diagnostic
dans les manuels de référence. De nouveaux marchés
extraordinaires s'ouvrent alors... Il en est ainsi de deux
concepts récents : les dépressions brèves récurrentes (il
suffit d'être triste trois jours de suite) et l'anxiodépression
(il suffit d'être à la fois triste et anxieux). Combien de
millions de gens peuvent ainsi être mis sous traitement !
Créer des concepts, cela coûte très cher, mais cela rapporte très gros. Le rêve, c'est de modifier les chiffres des
valeurs « normales » de paramètres physiologiques. La
pression artérielle normale est de 14/9 au maximum.
Imaginons que de doctes assemblées découvrent qu'en
fait le maximum de la pression artérielle normale est 13/
8. Un arsenal de travaux scientifiques et statistiques le
démontrera, n'en doutons pas. Aussitôt, des millions de
gens seront traités à vie par un hypotenseur. Cette fiction
n'est pas très éloignée de la réalité.

Les augmentations posologiques étant limitées, une fois
épuisées les ressources de la diversification des marchés,
il ne reste plus qu'à prolonger, le plus longtemps possible,
les traitements. Les concepts de rechute et de récidive de
la dépression permettent, n'en doutons pas, de fidéliser
une clientèle captive, qui, de surcroît, n'a pas voix au

chapitre. On aborde avec ces pratiques le domaine de l'économie de la santé, de la santé publique et bien entendu celui de l'éthique. Pour cette dernière, on est obligé de créer des comités pour faire savoir que ça existe. Pourtant, un peu de bon sens permettrait peut-être de limiter par exemple l'usage des tranquillisants et des hypnotiques chez les personnes âgées pour éviter que ces médicaments demeurent une cause importante de fractures du col du fémur.

Les valeurs spirituelles ne sont pas l'affaire de la Science, on le comprend. Mais ce n'est pas l'affaire non plus de la société. Le matérialisme scientifique et la logique du marché n'ont que faire de la morale, de la religion, de la philosophie. Ça ne se vend pas et ça n'a pas de consistance concrète. Certes, mais à vouloir éliminer les valeurs spirituelles dans la société, elles ne persistent plus que dans l'homme comme individu parce qu'elles lui sont irréductibles. On ne peut évacuer les valeurs spirituelles de chacun, même si elles semblent avoir disparu chez tous. Ce sont alors des individus et plus des sociétés qui donnent des leçons de générosité, d'amour, de tolérance, de solidarité, de bonté aux plus faibles et aux plus déshérités. Les sociétés se donnent bonne conscience et se déculpabilisent par des gestes spectaculaires et sans lendemain. Au lieu d'être raillés, comme c'est souvent le cas, ceux qui font preuve de ces valeurs spirituelles devraient être remerciés et donnés en exemple. En effet, chaque homme pourrait alors essayer de retrouver en lui ces ressources qui existent, bien sûr, mais qui n'ont pas le droit de s'exprimer. L'égoïsme aujourd'hui semble être devenu une vertu. Croire dans la force des valeurs spirituelles, c'est permettre à chacun de regarder différemment l'avenir, d'échapper au destin, de lutter et de ne pas se laisser abattre en attendant tout d'une assistance matérielle qui d'ailleurs ne vient souvent pas.

La souffrance psychique sous toutes ses formes fait de ceux qui la vivent des faibles et des déshérités. La réponse de la science n'est pas la seule, et peut-être pas la meilleure à leur apporter. L'équation linéaire signes = diagnostic = traitement médicamenteux réduit l'homme à sa matérialité. Dans le domaine du psychisme, on n'a pas le droit de négliger le spirituel. La psychiatrie, dans l'état actuel de nos connaissances, est aussi, et peut-être surtout, un humanisme. Faire prendre conscience à quelqu'un qui souffre psychiquement qu'il possède des forces insoupçonnées, l'aider à les découvrir et à les utiliser, c'est l'ouvrir à une autre dimension que de le cantonner exclusivement à compter ses comprimés ou ses gouttes tous les jours. Le miracle n'est jamais à attendre des autres, mais de soi-même. Il faut, comme disait Socrate, « découvrir ce quelque chose de divin qui est en chacun de nous ». Oui, j'en suis certain, la psychiatrie est un humanisme. L'Organisation mondiale de la santé, qui veut le bien de tous, a édicté une définition de la santé très large : c'est « un état de complet bien-être physique, mental et social ». Vaste programme ! Dans ces conditions, l'aide à la santé devrait passer pour certains par la possibilité de manger tous les jours et d'avoir un travail ! C'est sur la base de cette définition que l'on s'intéresse depuis quelques années à la « qualité de la vie ». En principe, tout ce qui comporte des conséquences néfastes pour la santé altère la qualité de vie. Une maladie en est l'exemple évident. Comme maladie égale médicament, l'industrie pharmaceutique s'est légitimement intéressée à la mesure (encore des échelles) de la qualité de vie. L'idée est la suivante : si le médicament, par-delà son action étiologique, améliore les scores de l'échelle « qualité de vie », il comporte une valeur ajoutée qui doit être rémunérée.

C'est dans le domaine des troubles psychiques que les choses sont particulièrement intéressantes. Il va d'abord falloir définir la santé mentale et trouver l'aune pour la mesurer. Il va falloir définir ensuite des maladies mentales qui altèrent cette santé mentale. C'est chose faite, bien que les manuels les plus réducteurs se refusent, on le sait, à utiliser le terme « maladie ». Dès lors, on pourra construire des échelles de qualité de vie en psychiatrie sur la base de cette définition : « La qualité de vie est définie comme la perception qu'a un individu de sa place dans l'existence, dans le contexte de la culture et du système de valeurs dans lesquelles il vit et en relation avec ses objectifs, ses attentes, ses normes et ses inquiétudes. C'est un concept très large influencé de manière complexe par la santé physique du sujet, son état psychologique, son niveau d'indépendance, ses relations sociales ainsi que sa relation aux éléments essentiels de son environnement » (OMS). Il faudra choisir des indicateurs pour pouvoir évaluer cette qualité de vie : seront-ils objectifs ou subjectifs ? Prendront ils en compte l'opinion de l'observateur ou celle de l'observé ?

Que signifie dans notre société matérialiste et quantitative cette irruption du qualitatif ? Sans doute la qualité (quelle qualité ?) sera-t-elle rapidement convertie en quantité. Tel médicament fera monter mon score de qualité de vie de trois points. Ce sera statistiquement significatif et il s'agira d'un bon médicament qui méritera d'être largement remboursé.

Il ne faut pas critiquer cette tentative, mais s'en méfier. Souvenez-vous de l'idée de classer le bonheur comme trouble psychique. Dans notre société normative, amoureuse des chiffres, des statistiques et des histogrammes, demain on nous planifiera le plaisir normal qui sera bien évidemment fourni par une molécule *ad hoc*. La Science sait ce qui est bon pour l'homme. La Science raconte tant de choses fausses mais cela fait tellement les affaires de la société.

Puisse la Science nous laisser décider seuls, encore pour quelque temps, de ce qu'est notre qualité de vie, notre bonheur et notre plaisir.

### QUATRIÈME PARTIE

# Images de la psychiatrie
## et médicalisation de l'existence

La Société est un rassemblement de groupes humains au sein desquels les individus sont unis par des alliances qui leur assurent une identité commune. Une identité commune implique de se ressembler parce que l'on a des intérêts communs. La solidarité existe au sein d'un groupe donné; elle est rare à l'égard des autres groupes. On peut ainsi distinguer l'amicale des joueurs de pétanque, un parti politique, les Chinois du XIII<sup>e</sup> arrondissement à Paris, le corps médical, etc. Un groupe possédant un pouvoir défend ses intérêts : on appelle cela un groupe de pression ou un lobby. Il peut être amené, moyennant des concessions et des échanges, à faire alliance avec un autre groupe possédant aussi un pouvoir pour défendre des intérêts communs ou ses intérêts propres. C'est cela la Société. Les groupes faibles, les isolés sont appelés des marginaux. Ils dérangent le plus souvent. C'est tout simple une société, ça possède ses règles et on n'a pas intérêt à les transgresser, sinon on risque d'être éliminé. Cependant, la Société ronronne et ne possède pas le pouvoir de réfléchir sur elle-même ou de prendre conscience de sa dégradation. Elle est tout entière absorbée par son quotidien, ses profits, ses envies. Elle n'a pas de spiritualité. C'est ainsi que disparaissent les civilisations...

La Société ne contribue pas au bonheur de l'individu dans sa singularité, car ce n'est pas sa fonction. Elle pense, souvent à tort, améliorer les conditions matérielles de vie du plus grand nombre. Ce n'est parfois qu'un alibi pour cacher d'autres raisons moins altruistes. Les troubles psychiques et le concept de psychotrope constituent à l'évidence un enjeu de société. On a vu l'histoire de la récupération médicale et la logique de la récupération scientifique. Considérons maintenant la récupération sociale et ses risques en santé publique ainsi que la récupération commerciale et ses conséquences en économie de la santé.

De multiples discours s'entrecroisent et parfois se heurtent ou se contredisent. Il existe des discours politiques, idéologiques, comme il existe des discours marketing ou économiques. Leur logique est différente et leur juxtaposition nécessaire fait parfois figure de chaos. C'est la description de ces différents discours sur les troubles psychiques et le concept de psychotrope qui sera envisagée ici en excluant toute approbation ou toute condamnation face à cet étrange kaléidoscope.

# Chapitre 1

# Les discours de la Société

Tout au long de ce chapitre, le mot « psychotrope » ne renverra pas à l'objet technique qu'est le médicament psychotrope déjà envisagé précédemment mais au « concept de psychotrope », c'est-à-dire à l'image que chacun peut en avoir dans sa logique personnelle. Le « concept de psychotrope », c'est l'opinion que l'on en a, mais c'est aussi la finalité que l'on en tire. Ces aspects sont forcément différents si l'on est un déprimé, un père de schizophrène, un comptable des deniers de l'État ou un industriel de la pharmacie.

Les troubles psychiques pâtissent d'une image extrêmement négative dans l'esprit du grand public. En fait ce sont les gens souffrant de troubles psychiques qui sont gravement pénalisés. Dans notre monde logique et rationnel, où toute vérité doit être matérialisée et concrète, la souffrance psychique dérange, fait peur, ou pire, n'est pas crédible. « Il le fait exprès, secoue-toi, tu as tout pour être heureux, tu es paresseux, regarde ce que l'on fait pour toi, c'est de la simulation, c'est une tentative de suicide chantage... » Abrégeons. Les représentations des

« maladies mentales » sont toujours effrayantes et elles engendrent la peur, donc l'intolérance et l'exclusion. La rançon pour les patients, c'est la honte, le retard dans les soins, les difficultés de réinsertion. Les conséquences pour les familles, c'est le silence, la solitude dans la peine, le sentiment d'abandon et l'interdiction de la compassion d'autrui.

Les représentations fausses sont bien évidemment le résultat d'une absence d'information ou d'une information erronée. Le « malade mental », comme on dit de manière globale, mélangeant dans une fraternelle confusion toutes les formes de souffrance psychique, est dangereux et incurable. Il est interné dans des asiles où il est soigné (sans que l'on sache bien de quels soins il s'agit) par des gens que l'on appelle les « psy » et qui sont en général aussi fous que leurs malades. Les mots « maladies mentales » pèsent d'un poids très lourd. Le public ne sait pas que 800 000 personnes sont suivies en France dans le seul secteur public pour troubles psychiques dont 73 000 sont hospitalisées tous les ans. Le public ne sait pas que personne n'est à l'abri et qu'aujourd'hui 25 % des Français connaissent dans leur entourage quelqu'un qui est en difficulté. Le public ne sait pas que la souffrance psychique va du chagrin d'amour à la schizophrénie en passant par toutes les conséquences traumatisantes des accidents de parcours de l'existence.

C'est pour ces raisons que des pays proches de la France, comme la Hollande et la Grande-Bretagne, ont développé des campagnes de communication destinées au grand public et qui ont modifié l'image, et donc le statut, des troubles psychiques. C'est pourquoi aussi quatre grands hôpitaux psychiatriques parisiens se sont associés en créant une structure, « Psycom », animée par Joël Martinez, un directeur d'établissement, et se sont lancés dans l'analyse d'image, la communication et la transformation de la représentation des troubles psychiques. C'est pour ces raisons que des associations de psychiatres, des groupes très divers de professionnels de la santé mentale multiplient les efforts pour informer le public, les journalistes, les élus locaux. C'est pour ces raisons enfin que le ministère de la Santé a décidé d'accorder une attention particulière au redressement de la vérité dans ce domaine et à l'information de l'opinion. Le jour où la réalité de ce qu'est la souffrance psychique et des formes qu'elle peut prendre sera vraiment connue, les aides et les prises en charge seront considérablement facilitées.

Le concept de psychotrope possède, dans le grand public, ses laudateurs et ses détracteurs, personne ne détenant évidemment la vérité. Pour les laudateurs, le psychotrope est une potion magique. Il s'agit en général des tranquillisants, des hypnotiques et des antidépresseurs. C'est la vertu symbolique du médicament qui s'exprime ici, représentant la confiance dans la médecine, le médecin, le pouvoir de la science. Parfois, d'autres éléments viennent jouer pour alimenter un discours élogieux. Pour le déprimé, c'est la conviction que le retour de sa joie de vivre est dû exclusivement à la pilule magique. Certes, souvent, elle a joué un rôle déterminant, mais c'est faire peu de cas de l'aide psychologique, de l'attitude gratifiante de l'entourage, des modifications existentielles, de l'effet placebo... On oublie aussi que toute vraie dépression a spontanément un début et une fin et que des coïncidences heureuses peuvent survenir. On oublie également que de très nombreuses dépressions ne sont que l'expression de structures de personnalités dépendantes, suggestibles, et que l'influence du médecin fait merveille même si elle a besoin du support d'une pilule.

Ces facteurs non pharmacologiques, dits « non spécifiques », jouent tous un rôle dans le processus de guérison. L'action réelle, nécessaire, indispensable des antidépresseurs dans une dépression authentique (et pas dans une tristesse liée aux circonstances) n'est pas à mettre en cause. Pour les hypnotiques et les tranquillisants, les louanges tiennent en plus à deux autres facteurs. L'un est proprement pharmacologique : c'est la dépendance qui peut s'établir entre un sujet et un produit. On a vu, dans cette classe thérapeutique, la propension à l'auto-médication et parfois à l'impossibilité physique et psychique d'abandonner un traitement qu'il faut alors défendre en lui trouvant tous les mérites. « Vous ne savez pas ce que c'est que l'insomnie. » Certes, mais si l'insomnie n'est pas « normale », ce n'est pas non plus une maladie chronique et incurable; cela se fabrique aussi avec des hypnotiques consommés trop longtemps et cela peut être tout simplement le symptôme de difficultés névrotiques et existentielles qu'il convient d'aborder différemment.

L'autre facteur qui rend parfois inséparable une personne de ses tranquillisants et/ou de ses hypnotiques, c'est la peur. Peur de ne pas dormir, peur d'être anxieux, cette phobie de l'inconfort et du désagrément qui devrait être traitée de manière non pharmacologique conduit à louer « l'objet contraphobique » – comme jargonnent les spécialistes – à savoir les comprimés salvateurs. Il est beaucoup, mais vraiment beaucoup plus rare, que les laudateurs parlent des neuroleptiques. Les utilisateurs sont surtout sensibles à leurs effets secondaires. C'est dommage parce que les neuroleptiques sont indispensables dans bien des situations. Ce sont plutôt les familles qui prennent conscience que l'état d'agitation s'est calmé, que les hallucinations ont disparu, que les idées délirantes qui conduisaient à des comportements d'agressivité ou d'opposition ont fait place au comportement habituel ou que l'arrêt prolongé du traitement coïncide avec une rechute.

Les détracteurs du « concept de psychotrope » sont souvent tout aussi subjectifs que les laudateurs. Le psychotrope représente le « mauvais objet », polluant, sorti de la chimie d'apprentis sorciers et dont on ne maîtrise pas les effets. Cette représentation est le résultat d'*a priori,* ou bien d'une absence d'information, c'est-à-dire d'une mauvaise relation entre le malade et le médecin. C'est la peur d'être empoisonné, de devenir fou, d'être « drogué », d'être traité à vie. Les effets secondaires sont souvent responsables de ces opinions excessives. Il convient d'en parler longuement avec les patients, de leur expliquer ce qu'ils sont, comment on peut les atténuer ou les maîtriser en modifiant les posologies et comment on peut les faire disparaître en changeant de traitement. C'est souvent une absence d'adaptation de la posologie (qui doit être strictement individuelle) qui est responsable de ces représentations. Administrer quelles que soient les circonstances un médicament à raison d'un comprimé par jour sans tenir compte de l'âge, du poids, des caractéristiques physiologiques personnelles, des habitudes de vie, des effets secondaires et des réactions de chacun n'est pas défendable, c'est un non-sens pharmacodynamique. Cela supposerait que tout individu soit strictement interchangeable avec un autre dans son fonctionnement interne et ses réactions psychologiques. C'est donc le vécu des effets secondaires ou la vision de ceux qui en sont atteints qui font parler de camisole chimique, de la crainte d'être drogué, de la peur de grossir ou de devenir impuissant. Le médicament qui peut sauver n'est pas une image attribuée au psychotrope. Celui-ci véhicule plutôt des représentations mortifères. Les tentatives de suicide médicamenteuses n'y sont peut-être pas étrangères, même si les tranquillisants sont à la fois les médicaments les plus utilisés dans les tentatives de suicide et les moins souvent mortels lorsqu'ils sont absorbés seuls.

Certaines peurs ont cependant un fondement. La peur d'être modifié dans son comportement et sa personnalité peut être liée à des faits relatés dans la presse grand public. La saga d'un hypnotique utilisé largement dans le monde a défrayé la chronique et s'est d'ailleurs terminée par une restriction d'utilisation. Plus récemment, un livre qui a connu un grand succès aux États-Unis relate les mérites d'un antidépresseur fameux en lui attribuant la capacité de modifier profondément et durablement la personnalité et les comportements. L'opinion de l'auteur, peut-être adepte des bonheurs artificiels, n'engage que lui mais n'est pas forcément bénéfique pour l'image des psychotropes.

Il n'existe pas, ou très peu, d'opposition systématique aux traitements antidépresseurs. Le déprimé se plaint éventuellement de certains effets indésirables en cours de traitement mais n'émet pas un veto dès son début. Le refus *a priori* de tranquillisants ou d'hypnotiques est le fait de gens qui n'en ont jamais pris et qu'effraye l'idée d'être « drogués » ou dépendants. Les effets secondaires des neuroleptiques jouent souvent contre eux, mais les plus préoccupants ne sont pas les manifestations parfois bruyantes des débuts de traitement ; en général, elles s'amendent facilement. Ce sont les effets pernicieux et larvés, confondus avec des symptômes de la maladie schizophrénique : ralentissement, désintérêt, inhibition, altérations des processus de pensée qui grèvent lourdement les perspectives de réintégration sociale. Un traitement psychotrope doit améliorer, il ne doit jamais détériorer la qualité de vie d'un individu.

On imagine aisément que malades et familles n'ont pas la même opinion que le reste de la société sur les troubles psychiques, puisqu'ils les vivent au quotidien. On peut aussi comprendre que l'avis des malades et celui de leur famille peuvent parfois diverger.

Malades et familles souffrent, on ne le dira jamais assez, du statut des troubles psychiques dans notre société. Le tabou est absolu et il est toujours exclu de donner la vraie raison de son absence du milieu professionnel ou d'apporter des détails sur le traitement que l'on poursuit lorsque les raisons en sont psychiques. Quand les situations sont sérieuses et prolongées, comme dans le cas des schizophrénies, familles et malades sont pratiquement contraints à la loi du silence. Seule la dépression, peut-être parce qu'elle a été transformée en événement de société, autorise quelques confidences. Il existe cependant des dépressions mélancoliques sévères et ce sont celles qui demeurent encore dans l'ombre. Les malades, entre eux, reflètent assez bien le comportement général : on trouve toujours plus malade que soi. Un malade délirant repère le délire chez son voisin en ignorant, par définition, superbement le sien. Pour ce qui est des troubles anxieux et des troubles de l'humeur, le constat, long à établir, s'accompagne de nombreuses interrogations : « Suis-je fou ? Vais-je guérir ? Serais-je comme avant ? » Préoccupations légitimes en l'absence d'informations préalables.

Les familles partagent ces interrogations qui sont variables selon le type de souffrance psychique. Le déprimé suscite chez ses proches la crainte du suicide, la hantise de la récidive, et, plus tard, la peur de ne pas retrouver l'être cher en possession de ses capacités antérieures. Ce sont les familles de jeunes schizophrènes qui sont les plus éprouvées. Souvent, une longue histoire commence avec une fille ou un garçon âgé de dix-huit ans. À l'incrédulité, au doute, succèdent la révolte, l'espoir puis, parfois la résignation. Au soir de l'existence, lorsque l'autonomie du malade n'est pas encore acquise, c'est la hantise du lendemain lorsque la protection parentale ne sera plus là. Ces drames de la vie sont d'autant plus dramatiques qu'ils se déroulent dans la honte, la solitude, l'isolement moral, les difficultés matérielles, l'intolérance et parfois l'agressivité de celui ou de celle que l'on aime. Il n'est pires tragédies que celles qui se déroulent à huis clos.

Les mots, pourtant connus des malades et des familles, font encore peur, et ce sont souvent des euphémismes qui sont utilisés. L'anxiété, l'angoisse, la dépression ont bonne presse et seront largement utilisées pour qualifier n'importe quoi. On ne dit pas délire, ou schizophrénie, on dit ma crise, mes angoisses (toujours au pluriel), ma dépression (toujours avec un possessif).

À l'égard des psychotropes, des différences peuvent exister aussi entre familles et malades. C'est surtout vrai lorsqu'il s'agit de traitements à long terme. « Je ne vais pas me droguer toute ma vie » est une protestation fréquente. En fait, il n'est que deux traitements qui nécessitent des prolongations au fil des années ; les régulateurs de l'humeur (lithium et Tegretol) et les neuroleptiques. La psychose maniaco-dépressive, dans l'état actuel des connaissances, impose un traitement à vie pour éviter ou minimiser les rechutes de l'affection. Compte tenu du haut niveau de collaboration médecin-malade qui est nécessaire dans cette perspective, il est exceptionnel que la durée du traitement soit un obstacle. Les rechutes en cas d'arrêt intempestif sont là pour justifier le bien-fondé de la poursuite de la thérapeutique.

La situation est plus délicate avec les neuroleptiques. Le maintien du traitement la vie durant n'est en rien une obligation, mais il est souvent indispensable de conserver les neuroleptiques pendant deux ou trois ans et de les réutiliser systématiquement en cas de rechute. C'est dans les périodes où le malade va beaucoup mieux ou même très bien qu'il est surtout sensible aux effets secondaires qui le gênent. Une divergence d'opinion apparaît alors entre le malade d'une part, son médecin et la famille d'autre part. Le médicament, support de la relation méde-cin/malade, l'est aussi souvent de la relation malade/famille. Comme le petit enfant sur son pot montre sa liberté à sa famille en acceptant ou en refusant de déféquer, le malade affirme sa liberté ou sa dépendance en acceptant ou en refusant le neuroleptique. Le médi-cament devient alors objet de tractations, de menaces ou moyen de coercition. « Si tu prends tes médicaments, tu reviendras le week-end prochain », « Docteur, il faut lui augmenter ses médicaments, je ne le supporte plus »...

Évoquer la solitude des malades et de leurs familles, c'est aussi parler des remarquables initiatives dont ils sont capables pour s'entraider, s'affirmer, se défendre. Depuis trente ans, l'UNAFAM [1] (Union Nationale des Amis et Familles de Malades Mentaux) regroupe des familles courageuses, éprouvées et dynamiques et constitue un ensemble de plus de dix mille personnes. Le siège de cette Union est à Paris et possède des délégations dans tous les départements. Inlassablement les dirigeants et les membres de ce groupe ont développé, ici et là, sur le territoire national des structures d'accueil, de formation, d'hébergement pour patients souvent schizophrènes. Leur action est aussi déterminante auprès de toutes les ins-tances officielles dont ils sont devenus un partenaire et un interlocuteur obligatoire.

---

1. Voir p. 245 les adresses de ces associations.

Les actions de l'UNAFAM ont abouti à une meilleure protection sociale pour les malades psychiatriques les plus atteints et les plus démunis. Cette Union devrait être mieux connue du grand public et bénéficier au même titre que les grandes causes de la médecine de la solidarité nationale.

Plus récemment, fait novateur en France, des patients et anciens patients se sont regroupés en associations afin de développer solidarité et information. Ce phénomène, banal aux États-Unis, où certaines associations pèsent d'un poids très lourd dans les débats sur la santé mentale, en est encore à ses débuts. L'Association pour le Mieux-Être de l'Existence a son siège à Montpellier, l'Association française des TOC (Troubles obsessifs-compulsifs) et du Syndrome de Gilles de la Tourette se trouve à Ronchin (département 59), l'Association France-Dépression siège à Paris et la Fédération nationale des associations de patients et ex-patients des services psy regroupe trois associations et se trouve également à Paris. Ces jeunes associations, sans moyens financiers, riches de la seule bonne volonté et du dynamisme de leurs membres, sont encore pour certaines assez inexpérimentées. Elles courent surtout le risque d'être récupérées par le milieu médical et l'industrie pharmaceutique ; il est vital pour elles de savoir conserver leur autonomie et leur indépendance.

On a pu dire que le statut des troubles psychiques était le reflet de la société du moment. Lorsque l'idéologie dominante était la religion, ceux que l'on appelle des malades mentaux étaient considérés comme des possédés et finissaient souvent sur le bûcher. Le diable n'avait rien à voir avec les transes hystériques, les délirants qualifiés d'insensés jouissaient de statuts variables, la dépression représentée par la seule mélancolie était admise depuis l'Antiquité et les troubles anxieux n'avaient apparemment pas encore été inventés. Aujourd'hui, alors que l'idéologie dominante est la Science, les troubles psychiques sont devenus des maladies et leur diversité ne fait que croître au fur et à mesure que sont réédités les manuels de critères diagnostiques. Le bénéfice des troubles psychiques en France n'est pas seulement de jouir du statut de maladies. C'est, indiscutablement, d'entrer dans le vaste arsenal du système de soins, d'assistance et de prises en charge diverses. Nul ne songerait à s'en offusquer ou à le déplorer hormis quelques économistes. Pourtant, il existe sans doute une différence entre l'allocation pour adulte handicapé dont bénéficie le schizophrène chronique et impécunieux et les mansuétudes de la Sécurité sociale pour les états d'âme existentiels qui ont le statut de maladies. Ce statut et les avantages qui s'y attachent ne favorisent pas pour autant la tolérance et la reconnaissance de l'extrême fréquence des troubles psychiques.

Lorsqu'une société développée ne dispose pas de système de soins évolué et jouant un rôle régulateur, la tolérance étant mauvaise, le statut des troubles psychiques devient carrément insupportable. C'est le cas aux États-Unis. Dans un article très documenté, paru dans *le Figaro* du 25-26 décembre 1993, Stéphane Marchand titre : « Les fous américains dans un cycle infernal ». « Faute de soins et de structures spécialisées, les malades mentaux passent de l'hôpital à la prison avant de se retrouver dans la rue », écrit-il. L'absence d'accès aux soins pour tous aux États-Unis suscite une situation épouvantable. Dans le comté de Flathead (Montana), « seule la prison locale a régulièrement accueilli les malades mentaux en urgence : l'hôpital les rejetait ». Le journaliste ajoute : « Les malades munis d'une assurance aboutissent dans une clinique psychiatrique privée. Les autres finissent dans la rue ou en prison. » Si nous n'avions pas en France notre système de soins, la situation serait identique car notre tolérance n'est pas meilleure.

De très nombreux changements, intervenus dans la société depuis une cinquantaine d'années, rendent très difficiles l'acceptation du trouble mental et son intégration ou sa ré-intégration dans la société. L'exode des campagnes vers les villes a désertifié des régions où la solidarité existait. L'habitat concentrationnaire des banlieues urbaines ne favorise pas la tolérance, la disparition des « petits boulots » a contribué à un chômage massif. Il faut aux soignants en santé mentale beaucoup de courage pour continuer la désinstitutionnalisation, créer des structures d'accueil délocalisées et inscrites dans les villes, proches des lieux de vie des familles, alors que la tentation pourrait être grande, dans ces conditions, de cultiver la chronicité comme on le faisait autrefois derrière des murs. On voit bien que notre système de soins démocratique est infiniment supérieur aux situations décrites aux États-Unis, mais on imagine aussi ce que la tolérance et la solidarité pourraient apporter de plus dans le contexte qui est le nôtre.

L'attitude de la Société joue sur la forme d'expression des troubles psychiques. On a déjà évoqué la transformation symptomatique de certaines entités au cours du temps. L'hystérie « à la Charcot » avec ses manifestations bruyantes de pseudo-paralysies, de fausses cécités, de crises d'agitation spectaculaire n'existe plus dans notre culture et persiste ailleurs. D'autres formes, plus discrètes, sont apparues légitimisées par l'acceptation par le corps médical des troubles anxieux, dépressifs et somatiques fonctionnels. Les aspects catatoniques de la schizophrénie ont radicalement disparu, alors qu'ils peuplaient les hôpitaux il y a une soixantaine d'années, de patients gisant allongés, muets, ne s'alimentant pas, ne bougeant plus et rigides comme des cadavres. Ce ne sont pas les neuroleptiques qui ont effacé ces aspects qui sont apparus et ont disparu en relation avec des changements du milieu. Pas plus que ce ne sont les neuroleptiques qui créent de nouvelles formes de schizophrénies où se mêlent délinquance, marginalisation et toxicomanie. Le milieu du moment, la culture d'une époque sont largement responsables des formes d'expression des troubles psychiques. Leur variabilité en témoigne. En faire à chaque fois une « maladie » nouvelle, c'est ignorer les variables sociologiques et c'est aussi servir des intérêts particuliers. Erwing Goffman, dans *Asile,* a bien décrit l'influence des milieux clos sur les individus qui y sont enfermés. L'enfermement dans l'asile, autrefois, ou en prison, aujourd'hui, est responsable en grande partie des comportements constatés : révoltes, crises, mutisme, repliement sur soi, tentatives de suicide... La prison devient un lieu privilégié de consommation de psychotropes et ce n'est pas par hasard. Il est vrai que l'on veut faire de la délinquance une maladie nouvelle... Les soignants en psychiatrie sont de plus en plus conscients des conséquences de leur propre attitude sur les pathologies qu'ils traitent.

La société, les systèmes, les institutions peuvent créer des conditions qui rendent obligatoires certaines formes d'expression de la souffrance psychique et qui en assurent la perpétuation. C'est une vérité générale applicable à tout être humain. Le psychisme s'exprime et le comportement se conforme au cadre qu'on leur fournit. Dans un milieu précis, surtout s'il est rigide, l'originalité est impossible, il faut être conforme. C'est le cas pour tous les corps constitués et pour toutes les institutions. La société a fabriqué la chronicité des psychotiques en les enfermant derrière des murs. Lorsque l'on supprime les murs et que l'on développe des structures d'accueil de petite taille, noyées dans la cité, à ambiance humaine, la chronicité tend à disparaître et la réintégration dans le groupe devient possible. Les neuroleptiques ont une action incomparable sur les symptômes aigus des schizophrènes mais ils n'ont rien changé à la chronicité si on continue à la cultiver derrière des murs. Un schizophrène qui connaît déjà la coupure avec la réalité n'est guère amélioré à être physiquement coupé du monde. Alors, on risque de confondre les symptômes de la maladie avec les conséquences des comportements sociaux.

## Chapitre 2

# La médicalisation de l'existence

> « La recherche médicale a pour objet la découverte de nouveaux modes de traitements et non celle de nouveaux clients. »
>
> Pierre Dac, *Pensées.*

La Science a médicalisé les troubles psychiques. C'est une bonne chose à condition de ne jamais oublier qu'on ne peut les réduire à la seule approche scientifique. La santé mentale, c'est à la fois du sanitaire, du psychologique et du social. La médecine évolue en France dans le cadre d'un système de soins qui possède toutes les qualités à condition de le consommer avec modération. Le libre choix du médecin par le malade, la liberté totale du médecin d'engager les dépenses de santé et la quasi-gratuité des soins pour tous les usagers représentent un idéal de la protection sanitaire et sociale. On sait qu'une consommation affolante de soins, non compatible avec les possibilités économiques de la nation, va faire exploser le système. Que doit-on restreindre ? Le médecin que l'on impose comme en Grande-Bretagne ne fait l'affaire de personne. L'exhortation faite aux médecins de limiter les engagements des dépenses reste pratiquement sans effet puisqu'elle va à l'encontre des intérêts économiques de toutes les professions de santé exerçant en libéral. La diminution des remboursements aux usagers, qui cotisent à la Sécurité sociale, ont injuste et déclencherait des troubles sociaux.

Pourquoi et comment en est-on arrivé là ? Les causes sont multiples, souvent triviales et simplement matérielles. On ne saurait en effet avancer l'hypothèse que cette augmentation croissante des consommations de santé est liée à une dégradation croissante, en parallèle, de la santé de la population. Plus on soigne, plus il y a de malades, n'est pas une explication. Nous avons, dit-on, « la meilleure médecine du monde », ce n'est donc pas dans une incompétence crasse du corps médical qu'il faut aller chercher les explications. Les progrès techniques d'investigations et de soins conduisent, puisque c'est leur justification, à une diminution du temps nécessaire pour établir un diagnostic, à un raccourcissement des hospitalisations, à une limitation des complications, en un mot à une remise en état rapide et définitive de la santé. Alors ?

On ne s'intéressera donc ici qu'à une cause possible, mais pesant sans doute lourdement : la médicalisation de l'existentiel.

Le psychisme d'un être humain peut connaître trois états : la stabilité, les turbulences, la pathologie. La pathologie, c'est-à-dire les schizophrénies, les troubles profonds de l'humeur, les comportements névrotiques invalidants, a été détaillée dans la première partie du livre. La stabilité, c'est la vie de tous les jours, avec son lot habituel de frustrations et de gratifications, de petites joies et de petites contrariétés. Les turbulences correspondent à des accidents de parcours : conflit, deuil, perte, séparation, désillusion majeure, changement, rupture. C'est un divorce, la perte d'un emploi, la solitude de la vieillesse, la découverte d'une infidélité, d'une trahison, c'est le malaise d'être un adolescent dans un monde sans idéaux et sans perspectives, c'est la pauvreté, l'humiliation, la carence du nécessaire, l'absence de chaleur humaine que sais-je ! C'est la vie, c'est l'existence. À ces frustrations, à ces carences, à ces absences et à ces manques correspondent les turbulences légitimes du psychisme : insomnie, anxiété, dépression de l'humeur, somatisations diverses et parfois passages à l'acte. Autrement dit, les fugues, la recherche de paradis artificiels, les tentatives de suicide, l'agressivité, la violence. On en connaît les raisons et les effets en sont prévisibles. Ce n'est pas de la pathologie mentale, mais cela va le devenir parce qu'on en a décidé ainsi, qu'on la nommera comme telle, et qu'il existe des circuits médicalisés pour cela.

Médicaliser l'existentiel, c'est utiliser un modèle connu, éprouvé et rassurant : le modèle médical et le système de soins. Les troubles psychiques et le psychisme sont de même nature. Il est facile de médicaliser les troubles psychiques en utilisant le même processus pour les fluctuations légitimes du psychisme. On est à chaque fois dans le subjectif ; on établira donc des normes culturelles et une quantification du subjectif. Le concept de maladie est facile à imposer. Il est confirmé par la chaîne des soins : consultation médicale, ordonnance, arrêt de travail, gratifications. Le médicament psychotrope témoigne de l'authenticité de la maladie, légitime le statut du patient et devient le label d'une reconnaissance officielle et sociale.

Tout ce qui devient excessif (aux yeux de certains) est pathologique. Aujourd'hui, le jeu, la sexualité, le poids... demain la lecture (ce vice impuni disait Gide), le plaisir, le bonheur... C'est la médecine, présente partout, qui définit les normes de vie ou qui sert d'alibi aux efforts de la publicité et du marketing. C'est l'idéologie scientifique dominante qui justifie toutes les quantifications. Avez-vous remarqué qu'on ne parle que de quantité, de pourcentage, de mesure ? Si on évoque la qualité (de la vie par exemple), c'est pour l'évaluer à l'aune d'une échelle. On édicte tout ce que « l'on ne doit pas... ». On ne doit pas être gros, être laid, être chauve, être ridé, être vieux, être triste, être anxieux... On prône tout ce qui est loin de la réalité ; difficile de s'accepter tel que l'on est et surtout de ne pas consommer. L'abus de médicaments entre dans cette dialectique d'autant plus facilement que la consommation en est quasi gratuite. Tout le discours médico-pharmaceutique tend à proposer une vision des troubles psychiques existentiels totalement séparés du sujet (personnalité, psychisme, histoire individuelle) et indépendants du contexte humain actuel. La cause est dans la tête ; la solution est le médicament, et si on rechute, ce n'est pas parce qu'en fait rien n'a vraiment changé après la disparition momentanée des symptômes, mais parce qu'il s'agit d'une maladie à rechutes dont le traitement chimique doit être poursuivi très longtemps. CQFD.

La culture du chiffre et de la quantification est une autre plaie de notre société. Dans un système capitaliste où la valeur de référence est exclusivement l'argent, il ne peut en être autrement. Parler de « valeurs » autres que matérialisables et monnayables est une gageure. Tout doit donc être chiffré ou chiffrable : l'intelligence, les performances scolaires, la sexualité, le tour de poitrine des femmes, la consommation de tabac, d'alcool... Certains magazines féminins – excellents par ailleurs – tombent parfois dans ce travers. Après les avoir lus et avoir répondu à tous les tests, la conclusion de la lectrice est : « Je suis moche, grosse, bête et de surcroît j'ai droit à un diagnostic psychiatrique ! » Personne n'échappe aux chiffres. Que seraient la télévision sans l'Audimat ou un homme politique sans les sondages ? Faut-il préférer un restaurant parce qu'il a deux sigles au lieu d'un seul ou acheter un disque selon le nombre de dièses qui le caractérise ? Il n'est jusqu'au sport qui ne soit envahi par les statistiques : le tennis et le basket ne sont plus que des chiffres, pour ne citer que deux exemples. À quand les critiques littéraires avec une, deux ou trois têtes de Victor Hugo pour recommander un roman ?

Dans ce monde normatif et quantifié, on nous enjoint parfois d'être nous-mêmes ! Il existe même des spécialistes pour nous aider à y parvenir : les cognitivo-comportementalistes (assez quantificateurs, du reste). Être soi ? Mais qui ? Être un produit conforme aux désirs de la société, c'est-à-dire de la culture du moment ? Les troubles psychiques existentiels ne sont-ils pas le résultat du conflit entre un individu et la société ?

On a vu l'abus de langage qui consiste à parler de « maladies mentales » alors qu'elles n'existent pas. Ce n'est pas moi qui le dis, c'est entre autres l'Organisation mondiale de la santé et l'Association américaine de psychiatrie. Il suffit de lire les mille précautions prises dans les préfaces de leurs manuels respectifs de diagnostic : le CIM 10 et le DSM III R, pour épouser leurs conclusions : « Les maladies mentales n'existent pas, il n'existe que des troubles mentaux ou psychiques. » Le concept de maladie ne s'applique pas à ces troubles. Les précautions consistent aussi à dire que la définition d'un « trouble mental » ne sera pas donnée car il est impossible à définir mais que les manuels précités en fourniront la liste et la description. Ils spécifient aussi que la définition du normal et du pathologique en matière de troubles mentaux et du comportement est impossible. Si la pathologie n'est pas maladie, pourquoi y faire entrer l'existentiel ? Ce n'est pas anodin. C'est de la société où nous vivons qu'il s'agit.

L'expression, l'analyse et l'interprétation (guidant la thérapeutique) des troubles psychiques et du comportement sont les fruits de la culture d'une société. Il n'existe aucune vérité absolue dans ce domaine et la culture occidentale n'a pas à s'ériger en référence unique et universelle. Analyser, interpréter et traiter des troubles psychiques avec sa seule culture chez un patient d'une culture différente est un acte de colonisation, d'impérialisme culturel et de terrorisme intellectuel. Soyons également convaincus que la psychiatrie transculturelle commence en France lorsque l'on change de régions, c'est-à-dire de groupes culturels.

Dès qu'il s'agit de l'existence, au lieu de médicaliser, on devrait s'interroger sur les raisons de ces difficultés à vivre dans une société souvent invivable et poser les vraies questions concernant un monde décadent qui pousse la logique de son système économique jusqu'à l'absurde et au suicide. En effet, on a besoin du concept de maladie, même s'il est faux, parce qu'il colle aux réalités de notre système. Si l'on est malade, on devient un consommateur et si l'on est un consommateur de psychotropes, on n'exprime plus ses rancœurs, on se tait. Si l'on réfute le concept de maladie pour les troubles existentiels, l'aventure devient très dangereuse. C'est à la fois reconnaître à la liberté individuelle le droit à exprimer sa souffrance en cas de désaccord avec le milieu, mais c'est aussi mettre en cause le rôle du contexte, c'est-à-dire des autres. Qui acceptera de se remettre en cause face à un trouble psychique chez le voisin ? Quel individu « normal » reconnaîtra qu'il est peut-être, en partie, responsable de cet étrange comportement chez son prochain ? Quel parent, quel conjoint, quel chef, quelle entreprise admettra son rôle dans la souffrance de l'autre ? Quelle société s'impliquera dans la cause des troubles psychiques si fréquents chez les chômeurs, les RMistes, les toxicomanes, les alcooliques, les délinquants ? Il est plus facile d'en faire des malades tant que le système de soins pourra les assumer (ou les prisons les héberger aux États-Unis).

Pourtant, il serait logique de penser que les dysfonctionnements sociaux sont dus à la Société (de son plus petit échantillon la famille au plus vaste la nation) plutôt qu'à un gène hypothétique. Vivre en communauté n'est pas chose facile. Si l'on provoque chez l'autre une rupture, une décompensation, mieux vaut imaginer qu'il en est seul responsable, ou plutôt qu'une maladie (c'est la faute à personne) en est la cause. L'arsenal médical peut alors entrer en jeu. Chaque chose est à sa place, porte un nom et l'on peut garder sa conscience tranquille même si elle est collective. C'est aussi sur la base de ce raisonnement que la médicalisation de la déviance est en route : violence et agressivité chez les jeunes aux États-Unis, tout sera bon pour les « psy » !

Si je vous racontais une histoire ? C'est l'histoire d'un homme de vingt-sept ans, bourgeois, fonctionnaire, marié, père de famille. Il est issu d'une famille plus qu'honorable et vit dans un milieu hautement respectable. Brusquement, il s'amourache d'un gamin de dix-sept ans, menteur, méchant, sale, pervers et cynique. Ce n'est plus alors que beuveries et turpitudes, bains de fange et violences insupportables. La femme et l'enfant du premier y risquent leur vie et y perdent une existence. De prison en tentative de meurtre, tout se termine mal. La société n'était pas armée en ce temps-là pour ramener à la norme. Les diagnostics psychiatriques étaient moins riches qu'aujourd'hui et les tutelles n'existaient pas encore. Qu'on en pense ce qu'on voudra. Le premier s'appelait Verlaine et le second, Rimbaud... Imaginez-les aujourd'hui sous neuroleptiques. Il est certain que la société y trouverait son compte et que l'ordre serait rétabli.

Le rôle majeur du « concept de psychotrope » dans les troubles existentiels, c'est d'être le support d'une idéologie et de s'intégrer à un système économique. Le psychotrope médicalise puisqu'il est un médicament et qu'il figure sur une ordonnance. L'ordonnance est le label de garantie. Le médecin est le seul interlocuteur à qui l'on puisse confier sa peine et sa révolte dans une société faite d'isolement, d'égoïsme et d'absence de communication. On dispose de surcroît d'un langage codé pour lui parler d'une manière acceptable : « Je ne dors pas, je suis anxieux, je suis déprimé. » Ce message est bien reçu puisqu'une réponse est possible : une ordonnance. Il faut du temps et beaucoup de courage pour refuser une prescription. Dès lors, le sentiment d'injustice qui m'étreignait, l'impossibilité de communiquer avec mon entourage, la peur du lendemain, tout cela va s'évanouir. Je pourrai dire aux autres : « Vous voyez bien que c'est sérieux, je suis malade puisqu'on m'a donné une ordonnance... Ma vie est transformée. J'ai maintenant des sujets de conversation : mes troubles, mes médicaments, mes effets secondaires. Si ma famille ne m'écoute plus, aucune importance, j'irai en parler à mon médecin et lui, je peux aller le voir quand je veux, il ne refuse jamais. Comme il change souvent mes médicaments, parce que mes troubles ne disparaissent toujours pas, j'en parle aussi avec mon pharmacien. J'ai confiance, un jour, j'irai mieux. » Répétons-le, les médicaments psychotropes ont une grande valeur lorsqu'ils sont utilisés dans la pathologie psychiatrique. Mais l'histoire réelle du concept de psychotrope est différente. Que sont nos espoirs devenus ?

Il est cependant des conséquences de ce système qui sont bénéfiques pour l'individu. Pour les « vrais malades », ceux qui souffrent d'une authentique pathologie psychique, le système de soins français est le meilleur qui soit. Quant à ceux qui souffrent de pathologie existentielle, ils tirent des bénéfices qui sont à la fois immédiats et secondaires. Les gratifications sont diverses, y compris matérielles, mais surtout la consultation médicale est le seul endroit où les tensions et les rancœurs peuvent s'exprimer. Ce n'est peut-être pas très adapté, surtout quand le circuit du médicament s'instaure, mais c'est mieux que rien. Surtout, cela coupe court à toute revendication d'une autre nature en déplaçant le discours du champ social à celui de la médecine. On passera rapidement sur les conséquences bénéfiques pour les médecins et pour la pharmacie de la médicalisation de l'existentiel. C'est une manne, ce sont des marchés insoupçonnés qui se dessinent. Les tics et les petites manies de chacun deviennent des TOC (troubles obsessifs compulsifs) qu'il faut traiter par des médicaments, la timidité s'appelle phobie sociale et la fameuse « dépression brève récurrente » ne va pas tarder à débarquer en France. Elle a tout pour plaire celle-là ! Elle concernerait 10 % des Français : il suffit d'être triste trois jours de suite. 60 % des « malades » sont des femmes qui voient ces troubles se répéter tous les mois (avant les règles peut-être ?) et bien entendu un traitement antidépresseur très prolongé saura venir à bout de toutes ces difficultés. On aura de quoi causer dans les cabinets de consultation !

On a d'abord médicalisé la psychiatrie et, aujourd'hui, le médicament psychotrope est en train de psychiatriser l'existence. Quels marchés pour un chef de produit mar-

keting ! L'un d'eux rêvait un jour devant moi du traitement systématique de tous les deuils par les antidépresseurs. Intéressants les deuils, on y a même mis en évidence
des modifications immunologiques. Un jour, on suppri-
mera les chagrins d'amour. Ripolinons l'existence, asep-
tisons les états d'âme ! Il y aura moins de revendications
sociales. Tranquillisons les artistes, les créateurs, les écri-
vains et anesthésions les révoltés !

Le bénéfice de la médicalisation de l'existence est
surtout évident pour la Société. La diversion des révoltes,
des rébellions contre l'injustice, des inégalités ou de la
pauvreté et des insatisfactions personnelles vers le médical
garantit la paix sociale. Le système de soins et le concept
de psychotrope sont les soupapes de sécurité de la Société.
Seules quelques zones suburbaines défavorisées n'entrent
pas dans le schéma. Là, on attaque la police, on vole des
voitures, on pille des grandes surfaces, on se drogue et
on n'est pas toujours très poli avec les passants. Un peu
de psychotropes ne ferait pas de mal, mais leur niveau
d'éducation ne leur permet pas de savoir que c'est une
maladie et qu'il existe des soins gratuits. Aux États-Unis,
les soins ne sont pas gratuits, alors, ils ont ce qu'ils
méritent : des émeutes grandioses, des *serial killers,* des
toxicomanes dès la maternelle. Ils ne savent pas : la paix
sociale a un prix. On voit bien où se situe la médicalisation
de l'existence : là où pourraient survenir des difficultés.
Selon une enquête parue dans le *Concours médical* (1993,
nᵒ 37), la consommation de tranquillisants concerne 2,9
à 16 % des gens selon la population considérée. Les
facteurs de surconsommation sont l'âge, le chômage, le
veuvage et le sexe féminin qui peut cumuler plusieurs
facteurs « de risque ». Dans le même *Concours médical,*
la question de la durée des traitements par antidépresseurs
chez les sujets âgés est intéressante. La réponse systé-

matique par un médicament aux difficultés psychologiques et sociales est une solution de facilité inacceptable. Admettre qu'il y a 20 % de personnes âgées déprimées dans les « longs séjours » ne doit pas seulement permettre de dégager de nouveaux marchés pour les antidépresseurs ; elle doit inciter à analyser leurs circonstances d'arrivée et leurs conditions de vie dans ces « longs séjours », plutôt qu'à leur prescrire un antidépresseur jusqu'à leur mort. L'aide psychologique et sociale pour les personnes âgées qui connaissent une crise existentielle donne une dimension humaine aux soins qui n'existe pas avec la simple prescription de la pilule qui ... qui fait quoi au juste ? Comment peut-on normaliser l'humeur de quelqu'un qui prend conscience de son abandon, de sa solitude, de son dénuement et de sa mort prochaine ? Une pilule n'y changera rien sauf à modifier le comportement. En revanche, la création de vrais liens humains et affectifs et l'animation d'un nouveau milieu de vie chaleureux et convivial seront très efficaces. Heureusement, cela existe parfois.

Si les conséquences de la médicalisation de l'existence sont indiscutablement bénéfiques pour la société, le sont-elles pour l'individu ? La réponse est assurément négative, et les conséquences sont globalement néfastes pour celui qui est en détresse psychique. Une aide lui est indispensable, pas seulement une pilule, dont certaines sont de surcroît amnésiantes. Défendre la liberté individuelle n'est-ce pas illusoire, surtout lorsque cette liberté d'expression, non médicalisée, peut amener à contester la société ? On est en marche vers *Le Meilleur des Mondes*. Huxley a vu juste, mais dans certains domaines on va encore plus loin que ce qu'il avait imaginé. La génétique moléculaire non contrôlée est source de dangers et les accouchements récents de femmes de soixante ans en Italie sont là pour prouver que c'est la société qui est folle, pas ceux que l'on voudrait faire passer pour fous.

Médicaliser les remous existentiels, neutraliser les émotions et utiliser une prothèse chimique pour niveler une société qui doit demeurer étale, conforme, « normalisée », c'est prendre de grands risques pour l'avenir. Tout cela, bien entendu, sans intention de nuire, en toute bonne foi et en toute bonne conscience puisqu'il s'agit de « maladies ». Avant de penser que les aléas de l'existence relèvent de la médecine, avant de poser des étiquettes diagnostiques, avant de subordonner le retour de la quiétude aux seuls effets d'un médicament, il faut essayer de comprendre ce que vivent les gens qui consultent des médecins. Si on ne le fait pas, non seulement on risque de passer à côté de la réalité mais on peut même fabriquer de la chronicité existentielle. L'histoire suivante en témoigne. Le dogme : symptômes de dépression égale diagnostic de dépression égale traitement antidépresseur exclusif peut fabriquer une « dépression chronique ».

Fabienne a soixante-huit ans, elle est coquette, avenante et fraîche. Mais elle connaît un grand malheur. Depuis trois ans, elle " est en dépression chronique ". Tout a commencé par des insomnies puis une tristesse, une perte de goût pour toutes les activités habituelles. Fini le plaisir des sorties, des dîners avec des amis, même la lecture ne l'intéressait plus. Elle a consulté un médecin qui lui a confirmé le diagnostic de dépression et lui a prescrit un traitement antidépresseur. L'humeur de Fabienne s'est rétablie en un mois et elle a retrouvé une certaine joie de vivre. Elle aimait bien aller voir le docteur X... qui était si gentil. Malheureusement quatre mois plus tard tout a recommencé. Des douleurs abdominales et des troubles digestifs sont venus compliquer le tableau. Toutes les investigations possibles ont été pratiquées mais on n'a rien trouvé de ce côté-là. Depuis trois ans la vie de Fabienne n'est qu'une succession d'améliorations transitoires et de rechutes. Quatre médecins se sont déjà succédé, cinq traitements antidépresseurs, deux séjours en clinique avec des perfusions, et toujours, toujours ce même dégoût des choses de la vie... Pourtant, Fabienne le dit bien : « J'ai quand même envie de vivre, j'ai encore dix à quinze années devant moi, mais pas dans cet état... » Fabienne a apporté à ses médecins ses symptômes de dépression sur un plateau, et c'est si facile de faire une ordonnance. Mais écouter longuement Fabienne, lui faire comprendre qu'elle est plus intéressante que ses symptômes, reconstruire sa vie passée et son contexte actuel c'est découvrir la clef de son état. Après une vie laborieuse marquée par une réussite professionnelle partagée avec son mari dans un commerce prospère, le couple a pris sa retraite il y a trois ans. Les enfants, tous brillants, étaient déjà éloignés par leurs carrières mais pour ce couple aisé une vraie vie s'ouvrait enfin avec des perspectives de voyages, de loisirs, de petits-enfants à aller visiter. Rien ne s'est passé comme prévu. Le mari a été saisi par le démon de la politique. Il est devenu conseiller général et n'est plus jamais à la maison, même les week-ends : inaugurations, visites officielles, cérémonies et réunions diverses l'accaparent intégralement. Et puis, il y a deux ans, Fabienne a appris par sa meilleure amie que son mari avait une maîtresse de quinze ans plus jeune qu'elle... Ce n'est pas un antidépresseur qui changera cet état, mais un tout autre travail... »

Les médicaments psychotropes sont issus de la recherche industrielle car leur coût de développement est incompatible avec les possibilités de la recherche académique. Seules quelques équipes universitaires, dans le domaine de la chimie de synthèse ou de la pharmacologie moléculaire, peuvent participer à l'innovation en créant et en testant de nouvelles molécules, mais la phase industrielle doit être mise en œuvre dès que commence le développement proprement dit. La logique industrielle, on le reverra, est une logique économique qui ne peut fonctionner sur la base de la philanthropie. Contrairement à la pensée de Pierre Dac, citée en exergue de ce chapitre, la recherche médicale et en particulier la recherche pharmaceutique sont des recherches de nouveaux clients, c'est-à-dire, de nouveaux marchés. Certes, les psychotropes sont des produits dits « éthiques » que le consommateur ne peut se procurer que sur ordonnance rédigée par un médecin ; certes, ce produit industriel est remboursé très largement par l'État, mais la seule différence c'est que le client ce n'est pas le vrai consommateur, c'est le médecin prescripteur. Le médecin, dit-on, a la liberté de prescription. C'est-à-dire qu'il a la liberté de prescrire n'importe quel médicament mais pas forcément de prescrire ce qu'il veut. Les pressions commerciales dont il est l'objet et qu'on appelle information thérapeutique sont là, légitimement, pour en faire le plus gros prescripteur de psychotrope qui soit. Il n'y a pas à s'en offusquer puisque le médicament est un objet industriel comme un autre, même s'il est encadré par des mesures économiques restrictives qui ne facilitent pas la pleine expansion des marchés. Vouloir critiquer cette démarche commerciale serait pure hypocrisie. En revanche, chacun étant dans sa logique et le psychotrope ayant des propriétés particulières, on peut envisager selon différents points de vue les conséquences de cette situation. L'industriel et l'économiste de la santé seront sur le même terrain avec des points de vue diamétralement opposés et qui nécessiteront des compromis. On peut aussi envisager les aspects de santé publique en cas de surconsommation non légitime et même les aspects éthiques.

Le secteur industriel de la pharmacie est florissant. Gérard Badou dans *L'Express* du 9 septembre 1993 titrait : « La pharmacie en bonne santé ». « Selon l'Insee la consommation de tous les médicaments a crû de 8 % par an depuis 1980 et le chiffre d'affaires des laboratoires pharmaceutiques est passé de 25 à 90 milliards de francs, soit une progression annuelle de plus de 20 %. La France est aussi le quatrième marché mondial du médicament et l'exportation est très active », écrivait-il.

Toujours selon l'Insee le montant des prescriptions générales a quintuplé entre 1970 et 1991. Le CREDES (Centre de recherche, d'étude et de documentation en économie de la santé), dans son rapport de 1992, fait état des chiffres suivants : la pharmacie représente 17,8 % de la consommation globale de soins. 38 % des personnes interrogées avaient consommé des médicaments au cours du mois d'enquête et les médicaments du système nerveux représentent de très loin (analgésiques inclus) la classe la plus prescrite. D'après Danièle Levy, du Centre de sociologie et de démographie médicale, le médecin généraliste prescrit beaucoup plus qu'autrefois, son coefficient était de 8 en 1980, il est à 17 en 1991 (sur la base des médicaments dits « éthiques »).

Pour autant, le médecin prescrit de plus en plus de tout : examens radiologiques, examens biologiques de laboratoire, rééducation, trajet en ambulance, etc. ont augmenté de manière considérable. Il n'y a que les arrêts de travail qui ont légèrement diminué. Toujours selon le CREDES, le volume de consommation pharmaceutique des Français a été multiplié par 13 de 1960 à 1990.

Au sein de cette inflation les psychotropes occupent une place de choix. D'après le SNIP (Syndicat National de l'Industrie Pharmaceutique) la vente de psychotropes en officine représente (en unités) 8,1 % tous médicaments confondus. Si l'on prend globalement tous les médicaments du système nerveux central, on arrive à 19 %.

Ces chiffres sont essentiellement réalisés avec les tranquillisants, les hypnotiques et les antidépresseurs. D'après une enquête du journal *Impact Médecin* de 1991, la consommation de benzodiazépines en France est supérieure de trois fois à la moyenne européenne, et notre pays a aussi la consommation pharmaceutique globale la plus élevée d'Europe. 50 % des consommateurs de benzodiazépines le sont pendant plus d'un mois, 25 % au moins un an. Cette consommation augmente avec l'âge (deux fois plus de femmes que d'hommes) et avec l'isolement, l'inactivité, le chômage et l'existence de maladies organiques. Les jeunes, imitant leurs parents, commencent très tôt à consommer des hypnotiques. Cette situation est en contraste avec celles d'autres pays d'Europe où la consommation des tranquillisants a diminué, grâce à des campagnes d'information du grand public. En dix ans, les chiffres ont baissé de 30 % en Hollande, 47 % en Allemagne et 57 % en Grande-Bretagne.

Certains ont pu protester, disant que cette diminution « s'accompagnait » d'une augmentation de la consommation d'antidépresseurs dans ces pays. Cela ne veut rien dire. Il n'y a pas de lien de cause à effet car les benzodiazépines d'il y a dix ans et celles d'aujourd'hui sont les mêmes. En revanche, il y a beaucoup plus d'antidépresseurs et penser à un système de « vases communicants », c'est imaginer que les anxieux d'hier sont traités comme des déprimés d'aujourd'hui. Ce serait soit croire que les médecins sont ignares soit que c'est la promotion qui conditionne à elle seule les ordonnances, ce qui n'est pas intégralement exact.

Comme c'est le cas dans de nombreux pays d'Europe (en particulier Grande-Bretagne) et aux États-Unis, c'est la presse grand public qui en France informe l'opinion et tente de l'amener à plus de mesure et de réflexion sur sa consommation, donc sur sa demande de bonheur pharmacologique. Souvent le style est vigoureux et les titres accrocheurs, mais c'est la loi du genre. Il n'est certes pas agréable pour un médecin de se voir qualifier de « dealer » lorsqu'il prescrit des benzodiazépines, mais cela a au moins le mérite de l'amener à réfléchir au sens et aux conséquences de ses ordonnances. Ainsi, *Que choisir Santé* présente dans son n° 12 d'octobre 1991 un excellent dossier intitulé « La paix en comprimés » dirigé par Mireille Didier. « Ces comprimés qui nous gouvernent » concerne les hypnotiques et les tranquillisants. La France, avec 175 millions de boîtes (toutes présentations confondues), est en 1990 le premier consommateur mondial. 8 % des femmes et 3 % des hommes chez les jeunes entre 14 et 19 ans sont déjà des utilisateurs et F. Facy de l'INSERM s'est intéressée à cette pratique dans le déterminisme d'habitudes toxicomaniaques ultérieures. L'article de *Que choisir Santé* ébauche aussi une analyse des thèmes publicitaires vantant les psychotropes auprès des médecins. Ce serait, en soi, le prétexte pour une véritable étude sociologique, car les thèmes vont bien dans le sens de l'existentiel et pas d'un traitement symptomatique. Ainsi un hypnotique propose « le déclic sommeil » renvoyant à une exigence non physiologique concernant la période de l'endormissement. Tout, tout de suite, y compris le sommeil... On pourrait plutôt parler d'anesthésie. Un tranquillisant se vante d'apporter « la maîtrise de l'anxiété au quotidien ». Qu'est-ce que cela veut dire ? Personne ne peut maîtriser l'anxiété au quotidien puisqu'elle est fonction des événements extérieurs sur lesquels un comprimé n'a pas d'action. Prétendre le contraire, c'est supposer que le comprimé modifie le comportement au point que l'on devienne complètement indifférent aux événements vécus. Ce n'est sûrement pas l'objectif recherché.

Plus récemment, Mario Laure Winkler dans *L'Écho des Savanes* de décembre 1993 titre avec le style gaillard du mensuel « Le bonheur en gélules : la France des camés ». Le dossier est bien documenté et rapporte que tous les mois 15 % des Français achètent un médicament pour le système nerveux central. Une enquête INSERM faite à Savigny dans la région parisienne montre que la consommation de tranquillisants concerne 4,6 % des hommes, 10,2 % des femmes et 17 % des sujets de plus de 65 ans. D'autres chiffres : 32 % de la population française aura consommé des tranquillisants au cours de l'année, ce n'est pourtant pas de l'aspirine. Entre 1982 et 1992 la consommation aura été augmentée par trois par rapport à la Grande-Bretagne et à l'Allemagne. De 1970 à 1980 le marché des psychotropes a augmenté de 56 %. Les tranquillisants, essentiellement prescrits par le médecin généraliste (85 % des prescripteurs), concernent maintenant toutes les tranches d'âge de la population puisque dans une enquête réalisée dans le XVIᵉ arrondissement de Paris, 7 % des enfants avant trois mois avaient déjà consommé tranquillisants ou hypnotiques...

Ce ne sont que des chiffres, mais, encore une fois leurs mérites sont de contraindre à réfléchir. Voir les choses par le petit bout de la lorgnette serait d'incriminer l'industrie pharmaceutique qui suit légitimement sa logique industrielle. Ces chiffres inflationnistes reflètent ceux de la consommation de santé en général. Tous les « marchands de santé » sont dans une logique commerciale et tout commerce implique, dans notre société, de gagner le plus d'argent possible. Qui a déjà rencontré un chef d'entreprise, un commerçant, un représentant d'une profession libérale proclamer qu'il a décidé de plafonner son chiffre d'affaires ? Cela serait contraire à tous les principes économiques du système de société qui est le nôtre.

Arrêtons l'hypocrisie : la vie n'est faite que de choix. La Société doit assumer ses choix. Parfois, elle peut cependant prendre conscience qu'aller au bout de certaines logiques mène à l'absurde. Il vaut mieux s'en rendre compte à temps. Si l'on vit de la vente de médicaments – payés par l'État –, seul l'État peut vous empêcher de vouloir en vendre toujours plus. Si l'on vit d'actes de soins – payés par l'État –, la cohérence commerciale implique d'en vendre le plus possible et seul l'État peut y mettre un frein. Or le système est pervers. D'une part parce que l'État ne contrôle rien en ne contrôlant que les tarifs de remboursement. D'autre part parce que le produit vendu est presque gratuit pour le consommateur, qu'il n'a pas le savoir pour en discuter la pertinence avec le médecin et qu'il ne peut en aucune manière autoréguler sa consommation. Il ne peut que l'augmenter, incité par la gratuité.

Si le médecin vous propose un « check-up » avec quinze examens biologiques – dosages d'ailleurs faits automatiquement en général – vous n'allez pas lui dire que cinq dosages vous suffisent. Si le médecin vous prescrit sept médicaments sur ordonnance, vous n'allez pas tigoter en le faisant descendre à trois. La prudence ou le bon sens amènent les patients à jeter 40 % des médicaments sans les consommer : ce n'est pas bon pour la Sécurité sociale.

L'État ne contrôle rien car le médicament évolue dans un faux marché d'économie libérale. Le prix est fixé (ainsi que le remboursement) par les pouvoirs publics. C'est un système d'économie dirigée. Mais pour le reste, à quelques fausses contraintes près, on retrouve les règles de l'économie libérale : concurrence, publicité, promotion, etc.

L'industriel est prisonnier des prix (les plus bas d'Europe ou peu s'en faut), mais il se rattrape sur les volumes de prescriptions. Dès lors, la guerre des marchés nouveaux est ouverte. C'est là que les armes de l'économie libérale jouent au maximum. La cible est précise, elle est quasi captive : ce sont les prescripteurs. Des projets existent et des tractations sont en cours entre l'État et les industriels pour trouver des solutions limitant aussi le volume des prescriptions. La détermination *a priori,* cas par cas, d'une enveloppe prévisionnelle au sein de laquelle l'industriel a toute liberté semble rallier certains, comme en Angleterre. Cette solution plaira-t-elle aux financiers et aux actionnaires des grandes entreprises pharmaceutiques qui demandent des comptes et exigent des profits croissants ?

C'est donc la nécessité de créer des marchés et d'étendre ceux qui existaient déjà qui fait déborder – très largement – le psychotrope sur l'existentiel. Un antidépresseur ou un tranquillisant ne sont plus de simples objets techniques. Ils doivent entrer dans une communication qui permette de segmenter les marchés : promotion spécifique pour des indications chez le vieillard ou l'enfant, découverte de nouvelles propriétés inattendues dans des comportements existentiels quotidiens qui sont élevés, grâce à des montages sophistiqués, au rang d'entités pathologiques nouvelles. On en a déjà vu de nombreux exemples. Toutes les ressources sont utilisées car la concurrence est rude et les prix sont bas. Conclusion : il faut faire du volume. Avec les meilleurs experts, on présente des études épidémiologiques tendant à démontrer la nécessité de consommations importantes compte tenu de la fréquence des « pathologies ». Des études économiques justifient une demande de prix élevé pour un médicament en démontrant toutes les économies ultérieures que son administration sera susceptible d'entraîner : moins d'arrêts de travail, moins d'hospitalisations, etc. C'est ainsi que l'on a relié la dépression au suicide en laissant entendre que la prévention de celui-ci passait par l'administration d'antidépresseur. Pourtant, une étude nationale récente, commanditée par un organisme public indépendant de l'industrie, réalisée sous la direction du Pr. M. Debout (Saint-Étienne), ne va pas du tout dans ce sens. Demain, des études de « qualité de vie » démontreront la valeur ajoutée de l'action pharmacologique.

Dans ce marché boiteux, mi-dirigiste, mi-libéral, l'industrie a grand mérite à maintenir son dynamisme et ses performances. Comme les perspectives de développement ne peuvent pas être liées à l'hypothèse selon laquelle les anxieux et les déprimés sont en progression régulière et infinie en France, on postule que les médecins, de mieux en mieux formés et de plus en plus clairvoyants, les dépisteront en nombre régulièrement croissant. Là encore, hélas pour les ventes, il devrait théoriquement survenir un plateau. Heureusement, pour se redonner le moral, plutôt que de prendre un antidépresseur, on pourra se remémorer la phrase de Knock : « Toute personne bien portante est un malade qui s'ignore. »

Prescrire un médicament n'est jamais anodin, surtout s'il s'agit d'un psychotrope. Le médicament véhicule de nombreuses images, il est le support de projections diverses, il est la concrétisation de la relation médecin-malade.

Guy Besançon en a fait une remarquable analyse (*Psychologie médicale*, 1990, 22, 6, p. 476-480). Il distingue les images externes du médicament, c'est-à-dire en gros la « publicité » : (images simplificatrices adressées au médecin, mais aussi discours du médecin au malade) et images internes, qui sont le savoir ou le prétendu savoir du médecin et du public. Il n'existe pas de savoir objectif pour le médecin sur le médicament et plus particulièrement sur le psychotrope. Guy Besançon développe dans son article une analyse des rapports du médecin au médicament selon qu'il se traite lui-même ou qu'il est traité par un confrère. Combien de fois, traitant un collègue pour dépression, l'ai-je entendu me réciter la liste des effets secondaires comme objection à mon traitement pour constater, étonné, au fil de notre relation qu'il n'y avait pas d'effets secondaires. À savoir prétendument identique, l'image du médicament varie selon que l'on est généraliste, spécialiste, pharmacologue, biologiste ou industriel du médicament.

De même, le discours du médecin à propos d'un médicament est différent selon qu'il l'a prescrit lui-même ou qu'il a été prescrit par un autre : « Arrêtez-moi toutes ces saletés ! » Le médicament est toujours un objet symbolique. Il est symbole du savoir, du pouvoir bon ou mauvais de la Science ou du poison, il est toujours symbole du médecin pour le malade comme pour le médecin. Le médecin est le plus souvent incapable de considérer le médicament comme un objet technique indépendant de lui. Puisqu'il a choisi un médicament sur la base de son savoir, c'est un peu de lui-même et de son narcissisme qu'il prescrit. Le malade ne s'y trompe pas lorsqu'il lui dit : « Votre traitement ne m'a rien fait » ou « Avec votre traitement j'ai eu des nausées et des troubles digestifs... » Le médecin demande souvent « Mon traitement vous a-t-il amélioré ? », craignant une réponse négative qui mettrait en doute son pouvoir et son savoir. Certains médecins ne supportent pas l'échec thérapeutique. Dans le secteur public, j'ai vu des médecins, s'estimant bafoués devant leur équipe soignante par un « mauvais » malade qui osait « résister » à leur bon traitement, le faire sortir rapidement de leur service pour qu'il aille se faire pendre ailleurs. C'est tout le narcissisme médical que véhicule un psychotrope, d'où la hantise des effets secondaires, même si un traitement qui en est doté est plus efficace qu'un autre qui en a moins.

Trop souvent, seul le médicament psychotrope est le sujet de la communication médecin-malade. Le symptôme, qui persiste, augmente, diminue ou disparaît devient l'unique thème de l'échange. Pas le sens du symptôme, hélas, mais la quantité...

Je pense à cet ancien patient, revu par hasard, qui m'a expliqué que, vivant en foyer et seul, à 68 ans il n'avait comme soutien médical que la visite mensuelle à un psychiatre qui le gardait les quelques minutes nécessaires au renouvellement de la même ordonnance de sept médicaments, inchangés depuis des années... Prescrire un psychotrope ne doit pas être un moyen de faire taire un patient. Cela ne doit pas contribuer à l'entretenir dans l'illusion qu'une gélule va – à elle seule – transformer son univers intérieur et ses conditions d'existence. Ne pas écouter la souffrance psychologique lorsqu'elle tente de s'exprimer, ne pas essayer de donner son vrai sens au symptôme, c'est peut-être commode et rapide. C'est aussi éviter d'être confronté à sa propre impuissance parfois, à ses interrogations personnelles et à son angoisse intime, toujours. Si l'on veut obtenir du psychotrope, outre son action pharmacologique, un plein effet placebo, il faut savoir donner et donner autre chose qu'un simple comprimé. Plutôt que de savoir donner, en fait il faut en avoir envie.

Prescrire un psychotrope suppose que l'on possède un

mode de représentation de la souffrance psychique. Ce modèle est le plus souvent lié à la formation du médecin prescripteur. Schématiquement, il existe trois possibilités. Certains médecins ne prescrivent jamais de psychotropes. Psychothérapeutes exclusifs, ils ont fait un choix. D'autres ne prescrivent pas parce que, au fond d'eux-mêmes, ils savent bien qu'ils ne sont pas compétents, et c'est beaucoup mieux comme ça pour les patients. D'autres enfin ne prescrivent pas pour des raisons idéologiques. Ayant comme représentation exclusive de la souffrance mentale le seul modèle de l'appareil psychique, ils ignorent superbement le corps (qui souvent leur fait très peur) et négligent le contexte. Pour eux, le psychotrope est un mauvais objet, un poison et ceux qui l'utilisent sont des tortionnaires.

D'autres médecins ne « soignent » qu'en prescrivant des psychotropes. Identifier des symptômes est pour eux l'équivalent d'un diagnostic à part entière ; le modèle médical est leur référence exclusive. Ils soignent donc des symptômes, pas des malades. Les médicaments possèdent des « cibles », les symptômes. Lorsque ceux-ci ont disparu, ils en concluent que le malade est guéri. Si les symptômes « résistent », on augmente les posologies, cela parfois de manière prolongée, réalisant alors un véritable acharnement thérapeutique.

Pour ces prescripteurs, la vie est simple.

Dans le domaine de la schizophrénie, par exemple, le seul baromètre de la condition d'un patient, ce sont les symptômes. Disparition des symptômes égale stabilisation ; réapparition des symptômes égale rechute. Ce que pense le patient, ce qu'il vit, ce qu'il ressent, ses conflits, ses alliances, ses espoirs, la réalité de ses possibilités d'autonomie, les facteurs qui aliènent son indépendance, tout cela n'existe pas. Seuls les symptômes ont un intérêt en liaison directe avec le traitement neuroleptique. L'arrêt de celui-ci doit nécessairement entraîner une réapparition des symptômes et sa reprise une disparition.

Enfin, heureusement, une troisième catégorie de prescripteurs replace le psychotrope dans un projet général de soins où s'allient et se succèdent des interventions techniques multiples : psychothérapies diverses individuelle ou de groupe, mesures d'aide sociale, etc. Dans ces cas, un projet de soins repose toujours sur un programme d'alliances entre la position du médecin à l'égard du psychotrope, celle du malade et celle de sa famille. Le médicament devient alors un allié associé aux efforts du malade, de sa famille et du médecin contre des symptômes qu'on resitue à leur place et qui n'occupent plus la totalité de la scène. Médicaments et symptômes laissent enfin de l'espace à d'autres discours et à d'autres interventions.

Traiter une vraie dépression de cette manière, c'est obtenir une « guérison » en trois dimensions : le symptôme, le sens, le contexte. Le médecin n'est plus exclusivement investi dans le médicament, ce qui limite les résistances du patient (au sens de contre-transfert) et diminue la fréquence des effets secondaires et les risques de rechute.

Prescrire un psychotrope, c'est nécessairement se poser une série de questions : que prescrit-on ? À qui ? Pourquoi ? Et comment ? Prescrire un psychotrope, on l'a vu, c'est prescrire une représentation personnelle du psychotrope. C'est très variable et cela change beaucoup les situations. Certains prescrivent le traitement d'une maladie, d'autres une substance ayant un effet symptomatique non spécifique, certains enfin une gomme à effacer les répercussions des difficultés existentielles. Lorsqu'on prescrit un antibiotique à quelqu'un qui a une infection à pneumocoques (pas dans une grippe !), un anticancéreux ou un bêta-bloqueur, on essaye d'éradiquer un microbe, d'agir sur un mécanisme cellulaire dévoyé ou d'intervenir sur un système physiologique de régulation de la pression artérielle. Quand on prescrit un tranquillisant, on vise l'obtention d'un effet de modification de la vigilance permettant (même si cela passe par une action sur le récepteur du GABA) d'attacher moins d'importance aux situations difficiles que l'on vit. On améliore le confort de quelqu'un qui est dépassé par un événement. L'important est de savoir ce que représente cet événement pour lui. Est-il si contraignant que cela ou s'agit-il d'une exagération de difficultés réelles ? La réponse n'appartient pas à la pharmacologie. On ne traite pas un conflit relationnel ou le poids de contraintes sociales par un comprimé. Simplement, c'est plus facile de faire « comme si » il s'agissait d'une maladie.

Prescrire, mais à qui ? Et pourquoi ?

Prescrit-on aux symptômes, à la maladie, au patient, à sa famille ? Tout dépend des symptômes et des circonstances. Les pressions sont nombreuses. Il y a la demande du patient : « Docteur, j'ai trop de médicament (ou d'effets secondaires), baissez-moi les doses ». Il y a la demande de la famille : « Docteur, il a été insupportable au cours de sa dernière permission, ne pourriez-vous pas augmenter les doses ? » Il y a la pression des soignants « Votre malade de la chambre 18 est très agité, il faudrait augmenter – ou changer – le traitement. » Il y a même la demande du médecin à lui-même : « Voilà trois jours qu'il me téléphone pour me dire qu'il n'arrive pas à s'endormir, je vais lui doubler les doses. » Il y a enfin parfois la demande de la Société lorsque quelqu'un dérange par trop le voisinage et se fait expédier à l'hôpital en hospitalisation d'office par le maire ou le commissaire de police. Enfin, il arrive qu'on prescrive parce qu'on sait rien faire d'autre.

Comment prescrire ? C'est une autre affaire. Les réponses sont trop complexes pour pouvoir les schématiser. C'est vrai que, au-delà des règles et du savoir, chacun a ses petites habitudes. C'est cela « l'art de prescrire ». Le choix des produits, leurs associations (ou le refus d'association), les posologies ...

*Chapitre 3*

# Psychotropes, santé publique et éthique

Les psychotropes, comme les médicaments en général, doivent apporter plus de bienfaits à la santé qu'ils ne lui créent de dommages. C'est un des aspects de la santé publique que d'exercer une surveillance sur ces risques : c'est la tâche de la pharmacovigilance. Un réseau national est constitué, avec ses antennes régionales et une commission de pharmacovigilance au ministère de la Santé.

En principe, chaque médecin témoin d'un incident ou d'un accident au cours d'un traitement doit en faire la déclaration détaillée auprès de structures précises permettant une évaluation du rôle du traitement et déterminer éventuellement son imputabilité dans le phénomène observé. Tous les médicaments à visée somatique peuvent être toxiques ou dangereux, les psychotropes n'échappent pas à cette caractéristique et on connaît les risques d'hépatites, de saignement, d'atteintes des cellules sanguines, etc., de tel ou tel psychotrope. Cependant, les psychotropes sont avant tout des modificateurs des fonctions cérébrales. Ils peuvent avoir de ce fait des effets secondaires assez spécifiques susceptibles de poser des problèmes de santé publique. C'est le cas de tous les produits, principalement les hypnotiques et les tranquillisants, qui altèrent la vigilance. Si un effet sédatif modéré favorise l'endormissement le soir et apaise l'anxiété le jour, une action trop marquée risque d'altérer les performances d'un sujet actif et l'expose à une série de risques. Certains passeront inaperçus comme les troubles de la mémoire, la diminution des capacités et de la rapidité de raisonnement, mais d'autres impliquant un ralentissement du temps de réaction peuvent être à l'origine d'accidents divers. La difficulté est toujours d'incriminer la responsabilité d'un produit lorsqu'il est consommé par quelqu'un qui vient d'avoir un accident de la route ou du travail. Une enquête du CHU d'Angers a retrouvé les tranquillisants associés dans un accident sur dix et dans ces cas la responsabilité de l'accidenté était engagée dans 50 % des cas. Est-ce une cause ou une association fortuite ? Impossible à déterminer avec précision. Alcool et tranquillisants on le sait ne font pas bon ménage, ils sont hélas souvent associés, additionnant leurs capacités sédatives. La consommation d'alcool associée à la conduite est pénalisée en France à juste titre. Dans les pays scandinaves, on y a ajouté la conduite sous médicament. Au Danemark, c'est une violation du code de la route qui entraîne des amendes et éventuellement la prison.

Les toxicomanies aux psychotropes posent un problème grave : la différence entre un médicament et une drogue. En France, nous disposons de deux mots pour faire la différence. En anglais, même si plusieurs termes peuvent désigner le médicament, on utilise le plus souvent *drug*, qui s'applique indifféremment à ce qui peut servir à guérir et à ce qui procure des paradis artificiels. La définition du médicament en France est réglementaire. C'est ce qui est prescrit par un médecin sur une ordonnance. Le médicament peut ne pas être fabriqué par l'industrie pharmaceutique, mais par le pharmacien. Les antibiotiques vendus au monde agricole, pour favoriser la croissance des volailles élevées en batteries, ne sont plus des médicaments. En revanche, les substances diverses vendues sans ordonnance, mais en pharmacie, comme les sirops contre la toux, sont considérées comme des médicaments. Les frontières sont assez floues. Un certain nombre de médicaments, incluant des psychotropes, peuvent entraîner des toxicomanies avec leurs phénomènes de dépendance, de sevrage à l'arrêt du traitement, etc. On trouve dans ce cadre des coupe-faim de nature amphétaminique, des antihistaminiques, des antidépresseurs, les barbituriques, des anticholinergiques, et les tranquillisants. Bien évidemment, le pourcentage de risque guide la conduite des pouvoirs publics. Si le risque est élevé, le produit est retiré du commerce ou ne pourra être délivré qu'avec un carnet à souches après avoir été mis au tableau B de la pharmacopée. C'est une mesure très contraignante qui restreint considérablement l'utilisation. Quand le risque est faible, une surveillance est instaurée et des recommandations d'utilisation sont édictées. C'est le cas pour les benzodiazépines. Le rapport entre psychotropes et toxicomanies est suffisamment étroit pour que le ministère de la Santé ait constitué une Commission des stupéfiants et des psychotropes dont le rôle est de garantir la santé des populations en matière de risque toxicomaniaque.

La frontière est aussi étroite entre drogues et produits de consommation courante. Le tabac et l'alcool, indiscutablement toxicomanogènes, sont vendus légalement en France et l'État prélève une large dîme sur le produit des ventes. S'agit-il de « drogues » ou de produits de consommation courante ? Comment les classer ? Les

Anglo-Saxons ont inventé le terme de « drogues récréatives », dans lesquelles ils incluent le cannabis, qu'on a songé un moment à vendre légalement aux États-Unis. Le cannabis n'est pas vendu en France par un monopole de l'État, et c'est une bonne chose, car cette drogue est potentiellement dangereuse pour la santé. L'alcool et le tabac sont-ils moins dangereux pour la santé individuelle et pour la santé publique que le cannabis ? Certainement pas. Un récent article du *Journal of the American Medical Association* (JAMA) montre que, directement ou indirectement, la première et la deuxième cause de mortalité aux États-Unis sont l'alcool et le tabac. Cette notion est sûrement tout aussi valable pour la France. Tout dépend comment on présente les chiffres. Les accidents de la route, la violence, les meurtres par armes à feu, certaines tentatives de suicide, de nombreux accidents domestiques, etc. sont directement liés à l'alcoolisation excessive. Il faut interpréter les faits. L'alcoolisation excessive elle-même est associée assez souvent à un faible niveau culturel, à la pauvreté, au dénuement. Lorsqu'un journal titre : « Le froid a encore tué, un SDF retrouvé mort... », ce n'est pas seulement le froid qui a tué, c'est aussi l'alcoolisation excessive chez un sujet démuni car l'alcool en grande quantité abaisse à lui seul la température corporelle. La dépendance alcoolique est un autre facteur de pathologies invalidantes, mortelles et toujours très coûteuses. Le tabac, lorsqu'il constitue une intoxication prolongée, est un considérable pourvoyeur de cancers divers, d'altérations vasculaires multiples, d'insuffisances respiratoires, etc.

Ces toxicomanies de masse, socialement admises, n'ont rien à envier aux dépendances aux stupéfiants. La différence c'est que, pour de multiples raisons, culturelles et économiques, elles sont intégrées dans la norme sociale. Il est « normal » et légal d'être dépendant du tabac, il est

« anormal » et illégal de l'être de la cocaïne. Au-delà de l'hypocrisie individuelle et collective, il faut admettre que nous vivons dans une société faite – comme toute société – de conventions et de compromis. C'est pourquoi la place des psychotropes est souvent ambiguë. Suffit-il de les baptiser « médicaments », de les inscrire dans un circuit économique contrôlé, d'afficher l'intention de soigner, pour que ces modificateurs du comportement psychique soient à l'abri de tout soupçon ? Cette question incite à réfléchir sur le sens d'une prescription qui ambitionne de modifier le fonctionnement psychique d'un être humain pour son bien. C'est le « pour son bien » qui fait problème. C'est en effet la société qui décide en la matière ce que doit être le bien de chacun. La bonne conscience vient des équations simplificatrices et fausses qui ont servi au conditionnement intellectuel du corps médical et de l'opinion. Certains symptômes accompagnés de tristesse entraînent un diagnostic de dépression qui entraîne un médicament antidépresseur. La disparition des symptômes amène à déduire que le médicament est efficace et à conclure à une guérison. On construit à partir de ces *a priori* un monde théorique que la Science habille. Après tout, pourquoi pas si chacun est heureux ? Mais réfléchir de temps en temps à la réalité d'une telle présentation peut permettre des ouvertures.

Penser que le médicament n'est que le support d'un processus plus complexe que la seule action pharmacologique incluant l'effet placebo, la relation, le travail psychique, la modification d'un contexte est déjà un progrès. Savoir aussi que n'importe quoi peut « guérir » la plupart des « dépressions » est aussi un acquis important : la privation de sommeil, la stimulation verbale et relationnelle continue, l'exposition à la lumière, les thérapies comportementales, et... l'électrochoc.

Tous les psychotropes, et toutes les drogues, induisent, par une action biologique sur le cerveau, des modifications du fonctionnement psychique qui à leur tour entraînent des modifications comportementales. Certains effets sont considérés bénéfiques (pour les médicaments), d'autres sont jugés néfastes (pour les drogues). Une tolérance sociale existe pour les drogues légales (alcool et tabac). Certains de ces produits sont susceptibles d'engendrer des dépendances. Lorsque celles-ci sont fréquentes et marquées, on décide un changement de genre : le médicament devient une drogue. Ce fut le cas pour l'amphétamine. Le plus souvent le changement de genre est décidé par les toxicomanes qui sont devenus dépendants d'un médicament et qui le vendent pour leur compte dans la rue *(street drugs)*. Seuls les médecins ont le droit de prescrire ! Ce qui définit souvent un objet ce ne sont pas ses caractéristiques intrinsèques mais la finalité d'utilisation. Par définition une arme est meurtrière lorsqu'elle tue, pas lorsqu'elle permet de gagner une épreuve de tir aux jeux Olympiques. Si je soigne l'insuffisance cardiaque de ma grand-mère avec de la digitaline, ce produit est un médicament. Si je l'empoisonne avec de la digitaline, elle devient l'arme du crime.

Quand un médicament psychotrope sort-il de sa fonction de médicament ? Est-ce exclusivement lorsque l'on est convaincu de son pouvoir toxicomanogène ou, pire encore, lorsqu'il est utilisé sans prescription médicale ? Ou est-ce aussi lorsqu'on prend conscience que ses effets ne servent pas exclusivement à redonner la « santé » à un « malade » ? L'abus de psychotropes amène à se poser des questions. L'abus est quantitatif et qualitatif. Il n'est pas « normal » que la France soit le premier consommateur au monde de tranquillisants, sauf à supposer que nous sommes un pays en grand danger social. Si la quantité est excessive, c'est que des personnes qui ne sont pas des « malades » consomment des psychotropes. On a parlé de « produits de confort » dans ce cas, mais s'agit-il encore de médicaments ou de « drogues sociales ». Tout abus est dangereux : pour l'individu chez qui on anesthésie l'affectif et la vigilance et pour la Société qui ne se bat plus contre l'adversité.

Psychiatriser l'existentiel ne peut être une ambition de société. Ce ne peut être non plus un projet individuel. Les conséquences doivent être appréciées en termes de santé publique sur les performances scolaires, le rendement professionnel, les accidents divers. Elles sont à évaluer pour l'individu en termes d'abandon des valeurs personnelles, de renoncement à la lutte contre les avanies de l'existence, d'endormissement de l'affectivité. C'est debout qu'on lutte dans la vie, pas couché.

Un dernier point, d'ordre éthique, concerne les propriétés des psychotropes. Les réseaux de pharmacovigilance tentent de dépister, comme pour les médicaments somatiques, la survenue d'effets indésirables graves. On est conditionné et techniquement équipé pour relever les hépatites, allergies diverses et autres chutes des globules blancs. Mais les psychotropes ont principalement des effets psychiques et personne ne se soucie de possibles effets indésirables psychiques et comportementaux. Les esprits ne sont pas préparés, et les évaluations techniques n'existent pas pour dépister une modification à long terme des comportements intimes, de l'affectivité, de l'agressivité, des goûts. Puisque les psychotropes agissent sur nos affects au cours d'épisodes « aigus », ne perturbent-ils pas gravement lorsqu'ils sont administrés de manière prolongée l'essentiel de notre vie affective et de notre système de valeurs ? Question qui mériterait une vraie réponse...

*Conclusion*

# L'espoir, c'est l'homme

« Ce goût de l'homme sans quoi le monde
ne sera jamais qu'une immense solitude. »

A. Camus, *Actuelles I.*

La Société occidentale finissante est prisonnière du système qui la régit et pour lequel compte exclusivement le profit. La seule valeur reconnue est la valeur marchande : rien n'est gratuit, rien n'est donné, nulle générosité. Seul l'individu en est capable, parfois jusqu'au sacrifice. L'héroïsme est toujours un acte de solitude. Plus prosaïquement, aujourd'hui, le fossé entre l'individu et la Société est devenu un abîme. La Société étouffe l'existence de l'individu, annihile son espace de liberté personnelle, et le contraint à se couler dans le moule d'une norme qui ne respecte pas ses valeurs spécifiques proprement humaines.

Un individu, cela va de soi, n'a aucune importance collective. Il peut être comptabilisé, étiqueté, analysé, regroupé. À trop le quantifier, on oublie qu'il est unique (sauf à vouloir le cloner) et qu'il détient au fond de lui des valeurs irréductibles qui le définissent comme être humain. C'est la divergence entre ces valeurs fondamentales et les intérêts purement matériels de la Société qui produit un « malaise dans la civilisation ».

## « Malaise dans la civilisation »

La souffrance existentielle existe en chacun d'entre nous et s'exprime individuellement. Notre appartenance au groupe social fait qu'elle s'exprime aussi, à un autre niveau et avec des formes différentes, de manière collective. Le bilan des raisons de cette souffrance existentielle n'est pas ici – faute de compétences – une analyse sociologique. Ce n'est pas non plus, par réalisme élémentaire, une nostalgie du passé ou un procès du progrès et de la modernité. C'est une description, sans plus, et qui n'est même pas exhaustive.

Le berceau des valeurs, c'est tout d'abord la famille. C'est là que l'on reçoit aide, protection, exemples et apprentissage. Le plus petit noyau social c'est la famille biologique avec un père, une mère, des grands-parents et des frères, sœurs, cousins, cousines. C'est le lieu où l'on découvre la force des alliances. Cette famille biologique est remise en question. La fréquence des divorces, le statut de mère célibataire, la solitude des personnes âgées, l'éparpillement géographique pour raisons professionnelles ont disloqué la famille biologique et ses alliances. Le père et la mère avaient des fonctions respectives précises et représentaient les modèles d'identification et de contre-identification de base. Être soi, c'est ressembler à son père et à sa mère et s'opposer à son père et à sa mère. C'est à la fois être leur désir et refuser de l'être. Les parents ont donc une valeur symbolique. Les changements de rôle, la confusion des rôles, les absences ont bouleversé ce paysage. Les grands-parents jouaient aussi un rôle fondamental en deuxième intention, mais les personnes âgées ont disparu du cercle familial. La science est venue compliquer singulièrement ce schéma tout simple. Certaines monstruosités de la procréation médicalement assistée balayent toute référence au processus naturel de la parenté. Les accouchements chez des grands-mères et la mise au monde récente par une femme noire d'un enfant après implantation délibérée d'un embryon de race blanche témoignent du fait que la société se soucie comme d'une guigne des principes qui ont fondé le genre humain. Seule la performance technique a une valeur de nos jours.

La famille avait un double rôle : elle élevait, au sens de la croissance physique et du spirituel, et elle éduquait en fournissant un apprentissage. Cela nécessitait du temps passé à communiquer avec l'enfant. Dans cette entreprise, la valeur de l'exemple était très grande et les modèles jouaient leur rôle. On faisait ainsi la découverte de la relation aux autres, de la politesse, de la manière de se tenir et de se comporter dans le monde. Une des grandes fonctions de la famille était de définir des valeurs morales et de perpétuer des traditions et des rites. La tradition orale, si forte dans toute société, même les plus « primitives », était transmise selon des codes implicites mais précis. Les parents, les grands-parents, éventuellement des familiers du groupe, avaient des rôles différents. Des histoires, dont les symboles viennent du fond des âges, étaient racontées en sacrifiant à des rites. Le rôle des grands-parents était là très important.

La tradition orale a disparu car elle nécessite du temps, de la présence, de la disponibilité. L'enfant connaît maintenant l'isolement et son imaginaire est nourri par la télévision. Plus tard, adolescent, pour assouvir son besoin d'échanges humains et de grégarisme, il rejoindra des bandes composées de ses semblables. Ailleurs, les personnes âgées, éloignées des familles ou en rupture avec elles, attendent la mort désœuvrées et dans la solitude.

Il s'enseignait aussi des traditions familiales à travers des habitudes, des rites, des mythes qui fondaient le groupe, solidifiaient les alliances, et assuraient une cohésion transgénérationnelle. Les recettes de cuisine en sont un exemple trivial mais puissant. Les « recettes de grand-mère » transmises de génération en génération, prétextes aux réunions de famille, nécessitant le temps de vivre, ont été remplacées par la restauration rapide et les aliments surgelés. Il n'y aura plus d'association entre l'aliment, celle qui le préparait, le plaisir et le bonheur de ceux qui le partageaient. Au-delà de la perpétuation de traditions familiales, du rôle de l'exemple, de l'apprentissage de ce qui est interdit, permis ou obligatoire, la famille transmettait des valeurs morales, c'était la reconnaissance et la valorisation, reprises plus tard à l'école, des notions de responsabilité, de devoir et de droit, du bien et du mal, de la justice, la charité, la solidarité. Ces mots autrefois correspondaient à un enseignement. Aujourd'hui, leur sens est oublié ou ils prêtent à se moquer.

Parfois, au sein de la famille, s'ajoutait la transmission d'une tradition religieuse avec ses valeurs, ses rites et ses symboles. C'était alors le sentiment, au-delà de la famille, d'appartenir à une communauté. La famille pouvait aussi, selon son niveau culturel, ouvrir tôt à une tradition écrite transmise par le livre. Au « Raconte-moi une histoire » qui implique une dépendance, certes chaleureuse, mais dépendance néanmoins, s'ajoutait la merveilleuse liberté de découvrir soi-même des histoires. Celles-ci véhiculaient tous les ferments et les symboles propres à nourrir un imaginaire en éveil. Aujourd'hui, les enfants ne savent plus lire, mais reçoivent en direct les meurtres de Sarajevo au journal de vingt heures. Avant d'être confronté aux réalités de la vie d'adulte, on travaillait dans l'imaginaire des représentations qui bâtissaient l'appareil psychique. Aujourd'hui, l'enfant construit son psychisme directement à partir du réel qui lui est fourni par la télévision. La différenciation entre le fait et la représentation, l'acte et le symbole, l'imaginaire et le réel n'est guère envisageable.

La terrible possibilité technique du « zapping » a encore compliqué la situation. Fiction et réalité ne sont plus discernables (comme dans le délire) et la banalisation des pires violences les rend anodines dans le quotidien. Les meurtres commis par des enfants en sont une des conséquences. Quand on n'a plus d'imaginaire et que l'on dit « Si on jouait à la guerre » ou « Si on jouait à tuer », on passe à l'acte dans la réalité. Autrefois, on enseignait la vertu ; aujourd'hui, l'image prône la violence. L'enseignement n'avait pas toujours un grand succès, mais l'image est assurée d'avoir un impact car elle possède le pouvoir de la conviction et entraîne sur de jeunes esprits le désir de mimétisme. C'est cela la valeur de l'exemple. Les Canadiens en ont pris conscience. Sylviane Tramier écrit dans *Le Monde* du 1er janvier 1994 : « La télévision canadienne veut limiter les scènes de violence en adoptant un code d'éthique. Sous la pression de l'opinion publique et à la suite d'une campagne menée par une adolescente de treize ans, la télévision canadienne s'est dotée d'un code d'éthique visant à bannir les scènes de violence " gratuite " du petit écran à partir du 1er janvier 1994. »

Après la famille, la transmission et la culture des valeurs étaient relayées par l'école. La morale, en particulier celle du citoyen dans la cité (instruction civique),

était une matière d'enseignement dans le primaire. Les
« humanités » permettaient de savoir d'où on venait et
qui étaient ceux qui nous avaient précédés. L'éducation
se poursuivait en parallèle avec l'acquisition des connaissances. On respectait le maître et on accordait de l'importance aux sciences humaines. Aujourd'hui où le discours de la Science est la seule référence, le monde est
peuplé de techniciens sans âme et on introduit dans la
précipitation « l'enseignement des sciences humaines » dans
les premières années de médecine comme si on allait ainsi
pouvoir éviter de ne plus soigner que des organes et non
des êtres humains.

Toute une série de « phénomènes de société » a contribué à la disparition des valeurs spirituelles. Les trans-
humances rendues nécessaires par la recherche d'emploi
ont séparé les familles, supprimé les rites, coupé les gens
de leurs racines et de leur folklore culturel. Toute tentative
pour maintenir une identité culturelle spécifique – les
langues et les patois par exemple – est sévèrement combat-
tue. On a prôné une sexualité déshabitée par les sentiments, le respect de l'autre, l'échange et le partage au
profit d'une génitalité sans finalité de reproduction. La
découverte de l'amour physique se fait de surcroît aujour-
d'hui sous le signe de la peur et de la protection. Vivement
la pilule procurant l'orgasme !

Les valeurs liées aux métiers ont été saccagées. Seul
compte le profit avec ses impératifs : tout de suite et
toujours plus. C'en est fini de la conscience professionnelle
(Tu es bien mort, Vatel !), de la valorisation du travail
manuel qui n'intéresse que les antiquaires et du respect
des métiers traditionnels qui ne tentent plus que des séries
télévisées. Les rythmes et la valeur du temps ont changé.
La rapidité des transports, les cadences de production
automatisées, la transmission des informations de manière

instantanée et universelle rendent aberrant le maintien du découpage traditionnel du temps écoulé en heures et en jours. *Time is money* ! Le temps sert à produire, de plus en plus, de plus en plus vite, il ne sert plus à vivre. Une telle transformation des rythmes biologiques, réalisée de manière expérimentale, rend « fou » n'importe quel animal de laboratoire. L'« homme pressé » est devenu l'homme de tous les jours.

Tout change, c'est bien normal ; tout, excepté l'homme. Son cerveau reptilien n'a pas encore muté. Il est toujours capable de passions, d'agressivité et les guerres en témoignent assez. Il est encore avide de valeurs, alors la société lui en fabrique de nouvelles. Elles ne sont jamais gratuites, et sont devenues les biens de consommation comme les appareils électroménagers, les automobiles ou ... la santé. Les valeurs de ces nouveaux étalons référence sont artificielles et dépendent – sauf la santé – du pouvoir d'achat. On a dévalorisé le monde de chacun et stérilisé son imaginaire en lui proposant exclusivement, par l'image et la publicité, des objets matériels ou des représentations auprès desquelles sa réalité quotidienne est disqualifiée, le poussant à consommer toujours davantage.

Ces pseudo-valeurs ne peuvent cependant pas combler les légitimes besoins de donner un sens à la vie. Dès lors les conditions du malaise existentiel sont créées. C'est l'absence de vraies valeurs humaines dans un monde en crise de spirituel. Encore une fois il n'y a aucune nostalgie du passé dans ce constat. Ce n'est qu'un bilan descriptif.

Lorsqu'on évacue toute valeur non matérialiste comme les valeurs spirituelles, morales, religieuses, artistiques, sportives, c'est la décadence d'une société et la fin d'une civilisation. L'argent infiltre tout et devient la finalité ultime et unique. L'argent ne vient pas de surcroît après l'effort, c'est le but exclusif. Il n'est pas la reconnaissance du travail, du mérite, la consécration de l'exceptionnel mais il fait partie d'un calcul de base. Il pervertit dès lors ce qui devrait être gratuit et spontané et donne lieu à tous les trafics et à tous les trucages. Rien n'y échappe. Ni l'art, ni le sport. Pas même la psychanalyse qui est un pur produit du capitalisme car elle instaure comme seule valeur référence l'argent. La théorisation qui sous-tend ce dogme peut d'ailleurs prêter à sourire par son caractère spécieux. L'argent récupère toute initiative, toute innovation car la gratuité de ce qui peut apporter quelque chose à l'homme met en danger le système économique. L'effort pour l'effort, l'art pour l'art sont désormais presque révolutionnaires. La nature est maî-trisée, bétonnée. On construit au Japon des plages arti-ficielles grandeur nature sous hangar géant et des pistes de ski artificielles. Bientôt, on tarifiera les couchers de soleil et le chant des oiseaux ou le bruit du vent dans les branches des arbres. Dans ce monde la liberté individuelle doit être éliminée car elle est menace pour la société.

## Au bonheur des neurones

Il existe une formidable souffrance dans notre société et elle s'exprime de manière diversifiée. L'adulte dispose, nous l'avons longuement décrit, de toute la panoplie d'une expression médicalisée : insomnie, anxiété, dépression. Le jeune, l'adolescent, âge de tous les excès et des absences de nuances et de compromissions avec le monde des adultes, passe à l'acte. C'est la violence, la toxicomanie, les phénomènes de bande. Il n'est jusqu'à la bouffée délirante du sujet de 18 ans dont on peut se demander si elle n'est pas une forme ultime de refus explosif d'un monde inacceptable. Médicaliser n'est pas une véritable solution. L'angoisse existentielle est faite d'une perte des repères, des valeurs, d'une solitude et d'une peur de l'avenir dans un monde d'égoïsme. Que l'expression de cette angoisse soit les malaises existentiels ou carrément la « folie » sous la forme d'un délire, c'est toujours une contestation. C'est un langage de l'individu à la société. L'excès même de certaines manifestations a valeur de loupe pour agrandir le texte du message. La réponse de la société c'est un diagnostic fourni par la science. L'explication vient de la neurobiologie et la solution est fournie par les psychotropes. Le résultat de cette fausse solution c'est une augmentation du phénomène de contestation donc une croissance de la souffrance psychique.

La Société est devenue folle, mais il ne faut pas le dire. Le chômage, la famille éclatée, la pauvreté de trop de gens dans un univers voué au profit et à la consommation, l'absence d'avenir pour les jeunes, la solitude désespérante de tous sont des facteurs souvent évoqués à l'origine du malaise social. Mais l'absence de chaleur humaine, de solidarité, de tolérance, de don gratuit, de sollicitude joue aussi un rôle majeur mais pas toujours reconnu. La « folie » est un langage qui, au-delà du drame individuel, a peut-être un sens pour la société qui est alors mise en cause.

Entendons-nous : il ne s'agit pas d'une position d'anti-psychiatrie « primaire ». C'est simplement poser l'hypothèse que « l'acte fou » ou le thème du délire, au-delà du déterminisme individuel, a peut-être une fonction sociale d'alerte. Puisqu'un tel acte est possible, réalisé par un humain parmi les humains, c'est que l'interaction individuelle l'a permis. Un *serial killer* n'est pas une catastrophe naturelle. C'est un être humain dont la folie individuelle s'exprime d'une manière qui dénonce quelque chose dans la société. C'est un acte qui a un social même s'il est insupportable, et peut-être parce qu'il est insupportable. Le décryptage du sens de la délinquance est beaucoup plus aisé, mais n'est pas mieux interprété.

C'est tellement facile de faire de quelqu'un un malade et de pacifier chimiquement des situations socialement conflictuelles. Ne pas entendre le vrai message de la souffrance existentielle, et même celui de la folie, c'est faire courir un risque d'implosion à la Société. La « folie » n'est-elle pas une nécessité pour qu'une société bouge, s'enflamme, vive et se transforme ? Regardez les résultats sur les représentations collectives de ces folies médiatisées que sont les exploits individuels gratuits. Ce qui vise à maintenir l'absence de transformation n'est-il pas synonyme de mort ? La folie, c'est la critique ; la souffrance existentielle ; c'est aussi la critique ; ne passons pas à côté du message. Sortons du cas individuel et de son drame au quotidien pour regarder la fonction sociale de la folie avec du recul et en lui redonnant son vrai sens. Le « fou » veut dire quelque chose aux autres qui refusent de l'entendre. Il exprime à sa famille, à son conjoint, à l'institution, à la Société un message ultime qui dérange beaucoup trop pour pouvoir être reçu. Cioran disait : « La folie est l'introduction de l'espérance dans la logique » *(Le Crépuscule des pensées)*. Nous vivons dans la fiction de la réalité. Parce que nous la fabriquons nous croyons qu'elle est vraie. Cette réalité n'existe pas et tout n'est qu'illusion. Il faut découvrir la fonction de la folie dans la société. P. Valéry disait : « Le réel ne peut s'exprimer que par l'absurde » *(Tel Quel)*. Ne négligeons pas le langage de l'absurde lorsqu'il permet de découvrir le sens caché des choses. Et, pour paraphraser B. Jolivet : «Le singulier de l'individu concerne parfois le pluriel de la masse. » (Conférence Paris UNESCO, 1993.)

Oui, une tentative de suicide, « ça parle » aux autres

d'une manière insupportable. Ça exprime tout le non-dit qui est pourtant connu même s'il n'est jamais exprimé. Une anxiété, cela traduit une difficulté à vivre un certain quotidien. Une dépression, cela met souvent en cause les autres et un état maniaque qui volatilise les censures et pulvérise les conventions permet d'exprimer par des paroles et des actes ce que des années de répression et de censures avaient comprimé trop fort. Tout cela a un sens qui est un appel au dialogue vrai, à l'expression enfin formulée du non-dit trop longtemps enfermé. Mais en place de la mise en cause des autres par eux-mêmes, en lieu de la solidarité et de la tolérance qui devraient se manifester, là où on attendrait de l'amour et des sentiments, que se passe-t-il ? On dit simplement : « C'est une maladie, c'est dû aux neurotransmetteurs et un médicament va effacer tout ça. » Certes, il faut consulter un médecin, éventuellement recevoir aussi un traitement médicamenteux, mais il ne faut surtout pas méconnaître le message. Ce n'est pas une attitude gratuite. Reconnaître le sens de la souffrance existentielle c'est la transformer en expérience utile. C'est éviter au sujet d'admettre la fatalité et le caractère inéluctable voire héréditaire de ses difficultés. Il ne s'agit pas de laisser souffrir si l'on peut soulager, mais il faut à la fois analyser les raisons existentielles de cette souffrance et permettre d'en tirer un bénéfice pour l'avenir. Quand il ne s'agit pas d'une pathologie avérée mais d'une souffrance existentielle « légitime », consécutive aux aléas de la vie, il faut faire sienne l'opinion de Musset : « L'homme est un apprenti, la douleur est son maître et nul ne se connaît tant qu'il n'a pas souffert. » On ne doit pas gommer systématiquement et pharmacologiquement les expériences maturantes de la vie. Que ferions-nous des drames existentiels de chaque patient –

de chaque être humain – si l'on y répondait exclusivement par un médicament ?

Quelle représentation de sa propre comédie humaine peut-on avoir lorsque le discours de la science vous en explique les raisons de manière aussi caricaturale ? Les neurotransmetteurs vous dis-je, les neurotransmetteurs...

Le *Journal du Dimanche* du 2 janvier 1994 titrait en première page : « Sarajevo : le message de Zlata. La petite Bosniaque raconte un calvaire au quotidien. Et écrit au JDD. » L'article de Patrice Trapier commence ainsi : « Derrière elle, des boîtes de médicaments, des antidépresseurs, rappellent qu'on ne sort pas facilement de la guerre. » Zlata a treize ans, je doute que des antidépresseurs lui permettent de sortir de la guerre. Je doute que des antidépresseurs, aussi puissants soient-ils, soient capables à eux seuls de faire oublier les guerres, sauf s'ils modifiaient les cerveaux, ce que je refuse d'imaginer. En revanche, je crois que des hommes meilleurs pourraient faire cesser les guerres.

Face à l'inévitable souffrance existentielle, le discours officiel de la science propose de placer le cerveau sous influence. La chimie fournira des paradis artificiels en réponse à la quête d'un bonheur impossible dans une société qui préfère l'artificiel au réel. Personne ne devrait accepter dans ces conditions ce qui n'est finalement qu'une démission des responsabilités et un renoncement à lutter. La décadence d'une société c'est la mollesse, la recherche de la facilité, le besoin systématique d'assistance et de dépendance. Demander des psychotropes pour maquiller l'existentiel, c'est passer à côté de la vie, négliger ses propres ressources et se condamner à terme à perdre toute liberté.

La Science, on l'a vu, n'a pas toujours raison et n'apporte pas que des bienfaits. Jean-Jacques Rousseau, dans son *Discours sur les sciences et les arts,* disait : « Les hommes sont pervers ; ils seraient pires encore s'ils avaient eu le malheur de naître savants. » Cette Science dont les comités d'éthique tentent de limiter les débordements court des risques de dérapages terrifiants dans ses domaines les plus spectaculaires. Le programme « génome humain », qui vise à cartographier puis à séquencer l'ensemble des gènes de l'homme, est scientifiquement enthousiasmant. Sur un plan éthique, il comporte cependant des dangers considérables que Benno Müller-Hill, généticien lui-même, envisage en détail dans un article intitulé « Le spectre de l'injustice génétique » (*La Recherche,* 260, vol. 24, décembre 1993). Au-delà des risques, jamais exclus, d'élimination par un dictateur de « sous-classes » d'êtres humains inférieurs, on imagine l'intérêt des compagnies d'assurances pour le pedigree de « sujets à risques ». On a aussi déjà fait allusion à plusieurs reprises aux « performances » de la procréation médicalement assistée. Mais peut-on imaginer ce que l'amplification de l'action des psychotropes sur les conséquences de l'existentiel pourrait entraîner ? Le bonheur malgré soi deviendra obligatoire et standardisé. Dans son prémonitoire pamphlet, *Le Meilleur des mondes,* A. Huxley écrivait : « Toute découverte de la science pure est subversive en puissance ; toute science doit parfois être traitée comme une ennemie possible ».

Que la science ait médicalisé la psychiatrie, on peut en comprendre le cheminement. Mais que l'on ait médicalisé l'existentiel, jamais les psychiatres n'auraient dû l'accepter.

Alerte générale ! Dans quelle stupidité, nous psychiatres, allons-nous sombrer ! Nous qui prétendons pratiquer une médecine de la personne qui critiquons nos collègues somaticiens de soigner des organes et non des êtres humains, nous sommes allés beaucoup plus loin ! Le psychisme n'existe plus. L'être humain avec son histoire, unique, son passé singulier, ses rencontres à nulles autres pareilles, est devenu une forêt de symptômes standardisés. C'est un chiffre parmi des statistiques ! La classification des psychotropes le favorisant, le découpage en spécialités symptomatiques foisonnant (consultation anxiété, spécialiste de la boulimie, déconditionneur de phobie, gestionnaire du stress et j'en passe), l'homme n'existe plus. Il fallait le faire ! On supprime exclusivement du symptôme. Ou on essaye. C'est tout de même plus simple que de reconnaître l'identité de l'autre, de l'accepter, et d'écouter ce que raconte sa souffrance singulière. Il n'y a qu'à choisir la molécule *ad hoc* et « gommer » le symptôme. C'est la gomme magique et chimique qui évite au thérapeute de se poser la moindre question, et aussi d'aborder les raisons de l'angoisse de l'autre.

Pourtant, qui mieux qu'un spécialiste du psychisme aurait pu aider l'homme qui souffre de son existence à trouver des solutions en lui-même ? Car les solutions existent et c'est dans l'homme qu'il faut aller les chercher.

### L'espoir, c'est l'homme

L'homme, chaque homme, porte en lui des ressources qu'il ne soupçonne même pas. C'est dans ses ressources qu'il doit puiser lorsque l'existence le désespère. Il doit comprendre que cette souffrance existentielle qui est la sienne est en fait le témoignage d'une société qui est folle. On ne la soignera pas avec des psychotropes. Le tourbillon infernal qui aspire la société vers le bas peut être arrêté. Seul l'homme peut sauver la société en commençant par se sauver lui-même. Encore faut-il peut-être lui dire que c'est possible et lui montrer comment faire. Ces valeurs éternelles, qu'il porte en lui, ont permis à travers tous les chaos l'essor des civilisations. Elles ne peuvent disparaître sauf à ruiner les civilisations elles-mêmes. Elles ont noms la solidarité, l'entraide, le courage, la tolérance. Elles s'appellent générosité, fraternité et chaleur humaine. Elles existent toujours, ces valeurs, mais il faut le faire savoir, les valoriser et faire en sorte qu'elles puissent servir d'alternatives aux valeurs uniquement matérielles qui sont imposées. Il faut la possibilité du choix et il faut que chacun puisse s'exprimer. Ce n'est pas un hasard si les quelques figures charismatiques de notre société, comme l'abbé Pierre, incarnent ces vertus qui font tellement défaut. Ce n'est pas un hasard si des personnalités médiatiquement connues s'engagent dans des tâches humanitaires. Il faut redécouvrir les bienfaits de la gratuité. On peut se sentir bien ensemble en étant liés par des échanges non matériels. Le temps du changement est venu. Il faut tracer des voies, montrer des chemins, donner l'exemple, chacun dans son domaine.

Il existe des remèdes non pharmacologiques à la passivité, au renoncement et à la résignation. C'est d'abord s'accepter tel que l'on est et pas tel que l'on vous impose d'être. C'est définir les limites de ses ambitions pour ne pas vivre l'échec, ce qui n'interdit pas de toujours essayer de se dépasser. C'est préférer sa réussite d'homme en accord avec ses propres valeurs à une réussite sociale définie par les autres. C'est avoir une opinion personnelle non dictée par la mode du moment.

Mobiliser toutes ces valeurs c'est construire une société plus humaine, où il ferait meilleur vivre.

Heureusement, il existe dans notre société des millions d'anonymes qui par leur attitude de tous les jours justifient l'espoir en l'homme. Dans ce livre, certains propos ont pu parfois paraître critiques à l'égard de la Science ou même de la médecine. Ce ne sont pas des critiques à l'égard des hommes, en tout cas pas à l'égard de tous. Ceux qui justifient notre espoir, c'est le scientifique passionné par l'avancée des connaissances et qui n'a que faire de l'idéologie scientifique ; c'est le médecin disponible, qui exerce un métier rude et de moins en moins rémunérateur, et qui continue pourtant son rôle de conseiller de la famille ; c'est le soignant en psychiatrie, infirmière ou infirmier, qui de plus en plus s'affirme comme le vrai accompagnateur, dans le quotidien, des grandes souffrances psychiatriques ; c'est le psychothérapeute, médecin ou psychologue, qui permet, sans finalité financière exclusive, que se réalise un travail psychique conduisant à la découverte et à l'acceptation de soi-même. Tous ces gens existent et ils n'ont que faire des dogmes et des vérités toutes faites. Et le psychiatre ? Il est en principe un peu tout cela à la fois, sauf quand il n'est qu'un distributeur exclusif de psychotropes.

L'espoir, c'est l'homme, ce n'est pas l'individu ; négliger l'individu, c'est le suicide de la société. Il faut qu'un nouveau discours puisse se faire entendre. Écoute-moi, toi mon semblable, mon frère. Ta différence peut aussi être ta force. Tu souffres de ta représentation du monde. Tu as peur, parce que tu te crois faible, parce que tu penses que l'avenir est sans issue et la vie sans espoir. Tu t'es réfugié dans ton monde intérieur où tu n'es que solitude. Pourtant, tu as d'authentiques paradis dans la tête. Ce ne sont pas des paradis chimiques, c'est toi, toi tout entier dans ta singularité d'homme avec les forces qui t'habitent et que tu as oubliées peut-être. Car c'est l'homme qu'il faut retrouver dans l'individu, pour rendre l'existence vivable.

# Adresses utiles

Union nationale des amis et familles de malades mentaux (UNAFAM ; président : Yvon Grasser) : 12 impasse Compoint, 75017 Paris.

Association pour le Mieux-Être (présidente : France Cassagne-Méjean) : 1479 avenue du Père-Soulas, 34090 Montpellier.

Association Revivre (président : Jacques Lombard) : 3, rue de la Ferme-de-l'Hôpital, 78350 Les Loges-en-Josas.

Association française des troubles obsessionnels compulsifs et de maladie de Tourette (président : Marc Lalvée) : 24, rue Gambetta, 59790 Ronchin.

France-Dépression (présidente : Patricia James) : 15, rue Philibert-Lucot, 75013 Paris.

Fédération nationale des associations de patients psychiatriques (FNAP) : 17, rue Waldeck-Rousseau, 94600 Choisy-le-Roi.

# Table des matières

*Préface*.................................................................... 9

PREMIÈRE PARTIE
**Les maladies mentales n'existent pas**

*Chapitre 1* : Un diagnostic impossible............................. 21
*Chapitre 2* : La dure réalité des troubles psychiques...... 43
*Chapitre 3* : L'existentiel, le culturel et le patholo-
             gique ............................................................. 71

DEUXIÈME PARTIE
**La résistible ascension
des médicaments du cerveau**

*Chapitre 1* : L'histoire de la découverte des psycho-
             tropes............................................................. 87
*Chapitre 2* : Les neuroleptiques...................................... 95
*Chapitre 3* : Les antidépresseurs .................................... 101
*Chapitre 4* : Les tranquillisants et les hypnotiques......... 109
*Chapitre 5* : Les régulateurs de l'humeur........................ 117

### TROISIÈME PARTIE
## Idéologie scientifique et psychisme

*Chapitre 1* : L'idéologie scientifique.................................. 129
*Chapitre 2* : Le discours de la Science........................... 139
*Chapitre 3* : La Science n'est pas parfaite...................... 157
*Chapitre 4* : Le bonheur normalisé par la Science ?........ 167

### QUATRIÈME PARTIE
## Images de la psychiatrie
## et médicalisation de l'existence

*Chapitre 1* : Les discours de la Société........................... 179
*Chapitre 2* : La médicalisation de l'existence................. 193
*Chapitre 3* : Psychotropes, santé publique et éthique..... 221

*Conclusion* : L'espoir, c'est l'homme ............................. 229

*Adresses utiles*................................................................ 245

CET OUVRAGE
A ÉTÉ ACHEVÉ D'IMPRIMER
SUR ROTO-PAGE
PAR L'IMPRIMERIE FLOCH À MAYENNE
EN MARS 1994

N° d'impression : 35733.
N° d'édition : 7381-0250-2.
Dépôt légal : février 1994.
Imprimé en France